LE SILENCE
QUI SE TAIT

Carole Bessette

LE SILENCE
QUI SE TAIT

Roman

GLANURES

La publication de ce roman a été rendue possible grâce à la contribution financière du Conseil des Arts du Canada, de Patrimoine Canadien, du ministère de la Culture et des Communications du Québec et de la Société de développement des entreprises culturelles.

Dépôt légal : 2e trimestre 1999
Bibliothèque nationale du Canada
Bibliothèque nationale du Québec
ISBN 2-920764-15-2

Distributeur en librairie :
Québec-Livres
2185, Autoroute des Laurentides
Laval (Québec)
H7S 1Z6
Téléphone : (450) 687-1210
Télécopieur : (450) 687-1331

Maquette de la couverture : Accent Design Graphique
Illustration de la couverture : Claude LeSauteur, *Songeuse*
                    (toile, 50 po x 40 po), 1994.

À Frédéric et Carole-Anne

PRÉSENTATION

Son silence parle. Au coeur. À l'esprit. À la mémoire.

Anne porte son univers au-delà de sa propre nature.
Elle chemine, avec ses souvenirs. Elle prend. Elle arrache, parfois.
Elle exige et souffre, aussi.
Son chagrin la dépasse. L'enrichit, l'embellit. L'anoblit.
Son manteau rouge, comme une tache d'espoir, un coquelicot enneigé,
reflète l'expression de sa douleur.
Elle parle, donc. Se livre et aime.
Passion de l'homme, passion de la cause. Indépendante.
L'un et l'autre absents, mais présents dans son rêve.
Face « au silence des êtres », face au « temps des jours à passer ».
Sur les cayes : elle regarde, imagine, à « l'heure mauve ».
Elle se souvient pleinement de la soif émotionnelle de l'être qui chemine,
malgré ses souffrances, ses incertitudes...

Philippe Nayer
Délégué de la Communauté française
et de la Région wallonne de Belgique

Alors le silence s'est fait
Ils n'avaient tu que le dernier sacrifice

Alain Grandbois, *Rivages de l'homme*

1

Ce 13 avril 1990, Anne savait que commençait pour elle une grande aventure. Elle avait déposé une petite clé dorée dans son étui à crayons, s'était rendue à l'endroit réservé aux casiers et avait repéré le sien en vitesse. Après y avoir pris quelques feuilles empilées depuis la veille, elle s'était dirigée vers la porte de sortie du secrétariat.

Une voix cassante l'avait interpellée et, sans qu'elle eût le temps de réagir, l'homme-directeur s'était déjà barricadé dans son bureau, la porte bien refermée sur lui.

« Rapportez-moi votre clé avant seize heures », avait-il dit.

Anne n'avait même pas eu le temps de lui répondre. Déjà quatorze heures dix. Elle n'avait plus une minute à perdre. Dans le long corridor, où elle se trouvait maintenant, régnait un silence absolu, reposant même. Il n'en était pas toujours ainsi. Quelques minutes auparavant, cela avait été la récréation totale. Des rires, des cris avaient surgi de toutes parts. Anne s'était même fait bousculer par un jeune garçon d'une douzaine d'années. Il courait afin d'éviter qu'un autre ne le rattrape. Tête en arrière et thorax devant il avait foncé tout droit sur elle. Aucune excuse n'avait suivi la collision quelque peu brutale. Anne s'était sentie une fois de plus blessée et s'était permis de ramener le jeune homme à l'ordre, même s'il lui était inconnu.

Face à l'ascenseur, elle s'étonnait à nouveau de sa lenteur. Elle était impatiente et sentait une fébrilité monter en elle et la parcourir tout entière. Un bruit mécanique se fit entendre et enfin, elle arriva dans ce lieu interdit appelé depuis longtemps *La morgue*.

Délicatement, elle enfonça dans la serrure de la porte la clé qui lui avait été prêtée quelques minutes auparavant, afin d'accéder aux archives. Elle se retrouva dans un endroit sinistre. Un grillage séparait les diverses sections de l'immense pièce. L'éclairage était insuffisant.

Dans l'entrée, de chaque côté de la porte, des tables et des chaises empilées servaient de paravents aux nombreuses caisses éparpillées ici et là. Toute une vie ou plutôt plusieurs vies se trouvaient enregistrées ici. Des vies emmurées. Des vies recouvertes de poussière.

Anne entendit l'ascenseur remonter jusqu'à l'étage. Qui pouvait bien venir dans cet endroit lugubre, hormis quelques hommes de maintenance pour y déposer leur matériel de travail ? Quel refuge ! L'endroit lui parut sinistre à nouveau. Elle était seule. Un frémissement la parcourut. Autant il faisait chaud aux étages supérieurs, autant ici c'était frais et humide. Elle jeta un regard furtif sur tout ce qui se présenta sous ses yeux. Rien ne lui indiquait par où commencer, pour retrouver les cartes d'identité qu'elle cherchait. Avec précaution, elle s'aventura plus loin dans la pièce. Soudain, son regard se posa sur des caisses marquées au crayon feutre noir : costumes, décors. Ce n'était pas ce qu'elle cherchait. Puis, elle se retourna et aperçut, bien au fond du large espace, des étagères de métal gris. Elle se rapprocha et put lire sur des boîtes cartonnées, 1963… 1983… 1978… Tout était pêle-mêle. Elle ouvrit une boîte, puis une autre, et encore une autre. De vieux examens de chimie, d'anglais, de français, de vieilles copies d'élèves y avaient été déposés.

L'heure passait rapidement. Anne avait ouvert plusieurs boîtes et rien ne lui indiquait la voie à suivre. Ce qu'elle cherchait n'était pas ici. Elle s'apprêtait à sortir lorsqu'elle entrevit, dans l'ombre, une armoire. Une vieille armoire beige. Il fallait que ce soit là. Dieu merci, elle n'était pas verrouillée. Délicatement, elle l'ouvrit et distingua plusieurs petits coffrets noirs empilés. À la hâte, elle empoigna à pleines mains le premier de ces coffres. Une série de cartes avec photos bien identifiées s'y trouvaient. Il s'agissait maintenant de retracer tous les coffrets des vingt dernières années et les placer dans l'ordre. Par ces photos, elle pourrait repérer les visages connus. Se souvenir. Son coeur battait. Elle avait enseigné à plus de trois mille élèves en vingt ans. Et dans ces fichiers, il s'en trouvait des milliers de plus. Que lui importait. Elle devait accomplir ce travail pour eux. Pour elle.

Seize heures approchaient. Elle pensa remonter avant la dernière cloche, remettre la clé au directeur et le convaincre de pouvoir revenir à *la morgue* le lendemain et quelques jours suivants. Elle prétexterait la nécessité de retrouver de vieux examens. Il n'avait pas à savoir. De toute façon, il la trouverait ridicule. *La morgue*, ce nom la fit sourire. Le choix pour nommer l'endroit avait été judicieux. Qui l'avait baptisé ainsi ? Elle l'ignorait. Mais jamais elle n'avait entendu qu'on eût désigné ce lieu sous un autre nom. Tout n'était-il pas mort ici ? Le passé, les souvenirs enterrés dans des caisses poussiéreuses, empilées les unes sur les autres. L'oubli total. Anne ressusciterait ce passé. Elle choisirait vingt noms, vingt visages. Un pour chaque année d'enseignement. Et cette grande fête, à laquelle elle avait si souvent pensé, aurait lieu chez elle, durant les vacances d'été.

Quelle fatigue ! Demain elle recommencerait, obtiendrait une seconde permission et fouillerait ces archives plus en détail. Elle chérissait ce moment privilégié.

À sa sortie de l'école, il pleuvait abondamment. Elle s'engouffra dans sa voiture, ne distinguant rien d'autre au dehors que le reflet des gouttelettes qui venaient mourir sur la vitre avant du véhicule. Le bruit du moteur qu'elle fit démarrer et celui des essuie-glaces vinrent se joindre au rythme de la pluie froide qui la saisit. Le temps était glacial malgré la mi-avril. Elle agrippa son volant et se pressa de rentrer.

2

Dans son fauteuil préféré, les jambes recroquevillées sous elle, une pomme à la main et un livre dans l'autre, Anne ne lisait pas. Elle s'égarait dans ses pensées. Les souvenirs semblaient se perdre. Puis, elle se rappelait.

L'école secondaire où elle travaillait était située dans un quartier simple, ouvrier. Elle y avait presque toujours enseigné, sans toutefois habiter ce même quartier. Elle savait la qualité de vie des gens, leur tempérament, leurs goûts, leurs aspirations. Elle savait tout cela par les enfants qui y avaient vécu, grandi et qui avaient quitté à leur tour ce coin de ville.

Au fond, elle avait vécu dans ce quartier plus longtemps qu'eux. Elle se révélait plus fidèle qu'eux. Par obligation ? Peu importe, elle y était toujours restée. Ces grands adolescents avaient dû quitter, comme elle autrefois, leur lieu de naissance. Elle était venue ici enseigner la littérature ou plutôt le français, tout court. Il y avait de cela quelque vingt ans. Mais avant, il y avait eu la mer.

Cette mer gaspésienne à qui elle confiait ses peines. C'était si loin et si près. Ce soir, comme elle lui manquait ! Elle aurait voulu se réfugier sur le bord de ce golfe. Presque l'océan. Lorsqu'elle regardait à l'horizon, c'était si vaste qu'elle ne voyait aucune terre apparaître. Seul un bateau, de temps en temps, et si petit tellement il était loin, venait rompre cette solitude.

Elle parlait à la mer. Et la mer lui répondait. Le bruit des vagues puissantes et fortes était un langage qu'elle comprenait. Qu'y avait-il derrière l'horizon ? Que serait demain ?

Demain était maintenant là.

Elle revit soudain ses premiers élèves. Ses premières classes nombreuses et bondées de jeunes, souvent effrontés, fanfarons, qui se croyaient tout permis. Elle avait vingt ans à peine. Toute l'année, elle devrait enseigner quatre matières à quatre niveaux différents. C'était à prendre ou à laisser. Elle avait pris. Sa jeunesse prouvait sa capacité. Fallait-il être jeune, pour être folle à ce point ! Accepter une telle charge était un non-sens. Anne ignorait, à cette époque, que la bataille commençait à peine. Toute sa vie d'enseignante durant, elle devrait se battre.

Chaque jour, elle se rendait au Pavillon Leclerc. C'était un ancien bâtiment converti en local de classe. Un groupe d'élèves durs s'y trouvait.

À pied, beau temps mauvais temps, Anne quittait le collège et se dirigeait, après un premier cours l'après-midi, vers cette dépendance qui avait plutôt l'air d'un entrepôt. Elle marchait au moins dix minutes, en se pressant, pour se rendre à son cours. Puis, elle se retrouvait seule, face à une classe de garçons de seize à dix-neuf ans.

Plusieurs élèves doublaient ou triplaient leur année. Anne voulait qu'ils réussissent. Eux étaient là par obligation. La musique, ils n'en avaient rien à faire. Ils se foutaient carrément de ce cours qu'ils jugeaient sans importance. Mozart, Beethoven que leur en resterait-il plus tard ? Auraient-ils seulement l'occasion de réentendre une seule note de ces compositeurs ? Que garderaient-ils de tous ces cours ? Le souvenir d'une jeune enseignante qu'ils ne parvenaient même pas à accepter parce que trop sévère, trop exigeante. Elle était jolie, c'est tout ce qui leur importait.

Un après-midi de février, Anne avait décidé d'évaluer ses élèves comme à la fin de l'année scolaire. Elle leur avait donc annoncé un examen pour le lundi suivant. C'était vendredi et l'excitation était dans l'air, depuis le début du cours. L'annonce d'un examen à étudier pour la fin de semaine fit l'effet d'une bombe. Les étudiants commencèrent à discuter entre eux, sur un ton tout de suite élevé. Richard Vallée prit le premier la parole.

— On est en plein carnaval, tu peux pas nous faire ça.

— Oui, il a raison ! avait répliqué le grand Steeve. Tu peux pas nous faire ça. Ce soir, y'a le bal populaire. C'est le dernier avant le couronnement de la reine. Puis dimanche, c'est le couronnement. Compte pas sur nous pour étudier ta musique.

Anne n'avait pas encore perdu son sang-froid. Elle les écoutait, les regardait tous, sans vraiment les voir. Mais elle commençait à bouillir en elle-même. C'est alors que Pierre-Paul Landry, le grand noir frisé, assis juste devant elle, lui dit ironiquement :

— J'ai quelque chose à te demander.

— Demande toujours, rétorqua Anne méfiante.

Puis la regardant, Pierre-Paul Landry ajouta :

— Si tu sortais avec moi ce soir, ma soeur est duchesse. On ferait un beau couple, non ?

Anne grimaça, elle n'aimait pas ce garçon. Il avait presque son âge, un an et demi à peine les séparait.

— Bien quoi ? On sort avec des infirmières, pourquoi pas avec des maîtresses d'école ? Des institutrices, si tu préfères.

— Tais-toi ! répliqua Anne.

— On sait bien, toi, tu les aimes plus vieux. Les jeunes comme moi ont pas assez d'expérience. En dessous de quarante ans, ça fait pas. N'est-ce pas Madame Anne ?

Cela en était trop. Il pouvait dire toutes les conneries qui lui passaient par la tête, mais sa vie, à elle, jamais elle n'accepterait qu'on la touche, qu'on la salisse.

Elle imagina soudain la joue rouge de son grand élève, estampée de ses doigts. Elle sentit sa main bouillante. Elle avait eu envie de le gifler fougueusement, sans mesure ou plutôt à la mesure de ses paroles railleuses à lui. Elle se surprit à ne rien faire. À la place, sa main s'abattit fortement sur son bureau. Un silence placide régna dans la pièce, le reste du cours. Sans musique. Sans parole. Chacun s'occupa à ce qu'il voulut. On ne reparla plus de l'examen.

3

On sonna. Le jeune camelot tira Anne de ses souvenirs pour quelques instants. Lorsqu'il repartit, la poignée lui glissa des mains tellement il ventait. La porte s'abattit contre le mur extérieur de la maison. Anne jeta un coup d'oeil dehors en refermant. Quel temps ! Les grands arbres dans la cour arrière se balançaient en une folle farandole. Le vent était cru et froid. Anne pourtant aimait le vent. Mais le vent doux, le zéphyr qui vous transporte. Celui qui vous fait revivre. Non celui de la tourmente et des rages qui la rendait triste.

Elle regarda sa montre. Dix-huit heures ! Elle n'avait pas faim. Elle n'avait jamais faim lorsque venait le temps de manger seule. Son mari rentrerait assez tard, c'était encore un soir de réunion. Son fils n'était pas revenu de voyage. Il en profiterait jusqu'à la rentrée scolaire. Ainsi, il lui arrivait de sentir le poids de la solitude. Elle essaya en vain de se ressaisir. Toutes ces recherches de l'après-midi ne l'avaient pas aidée à chasser ces pensées. Mais, ne devait-elle pas se souvenir pour faire le bon choix ?

Elle se prépara du pain, du jambon, du fromage, et se versa un verre de vin rouge. Elle retourna vers son fauteuil, puis hésita et en choisit un autre près de la fenêtre de la salle familiale. Sur la petite table d'acajou, juste à côté, elle déposa son assiette et son verre, prit une bouchée puis se leva à nouveau. Un feu de foyer, c'est cela, elle ferait un feu. La flamme apaise l'esprit. Elle le savait depuis l'enfance.

Anne regardait maintenant danser les flammes, son verre de vin à la main. Elle les fixait, comme hypnotisée. Il lui semblait que sa tête vacillait avec elles, à leur rythme. N'était-ce pas à cette même période de l'année qu'elle avait décidé de quitter la Gaspésie ?

C'était à la mi-avril 1970. Elle était ressortie du bureau de la directrice avec une lettre à la main. Une pauvre lettre fade et froide. Aucun mot de bienveillance à son égard. Aucun. Anne avait lu et relu, à trois, puis quatre reprises, la lettre. Rien. Inutile de chercher. Deux années de sa vie dans cette école. Elle avait donné deux années de sa vie, à essayer d'atteindre la perfection, à plaire, à dire : « oui, je suis capable ». Deux années à courir du collège mixte à l'annexe propre aux garçons. Pas un aumônier, pas un psychologue et encore moins un directeur ne s'y rendait. Seul un commissaire d'école y mettait les pieds si une plainte lui parvenait. Anne avait travaillé dur et voilà qu'elle tenait entre ses mains sa récompense.

Quand elle venait à penser que ses confrères masculins avaient le double de son salaire, pour une tâche souvent plus facile, elle rageait d'injustice.

— Tu pars ? Comme ça ! Que feras-tu là-bas ? C'est une folie. Tu n'es pas bien ici ? lui avait demandé la directrice.

— Je pars.

« C'est tout, avait pensé Anne. C'est ma vie ! Ma vie, avait-elle eu envie de crier à cette femme. Qu'avez-vous fait pour moi, pour m'aider ? Je n'ai même pas eu une journée de congé pour aller rencontrer un employeur en ville. Qu'avez-vous fait pour me garder ? »

Puis, elle n'avait rien ajouté d'autre à ce « je pars », mais il était si déterminé qu'elle n'avait pas eu besoin d'en dire plus. De toutes façons, elle n'y serait pas arrivée. Sa trop grande réserve, sa politesse, tout cela l'avait fait se taire.

4

Jusqu'en mai, Anne s'était rendue souvent à *la morgue* et avait reconnu plusieurs visages. Elle avait d'abord choisi une centaine de noms puis, avait fini par les éliminer jusqu'à ce qu'il en reste vingt. Comme elle le voulait au point de départ.

Cet été-là, il fit très chaud. La canicule se fit sentir jusqu'en août. Anne avait donc décidé de donner la fête en l'honneur de ses anciens élèves, juste avant la rentrée. Cette réception n'était pas rien pour elle. Ce serait un grand gala. Elle l'avait préparé avec une hâte fébrile, pendant presque une semaine. Elle avait imaginé ces visages oubliés et avait ressenti une crainte difficile à contrôler. Qui étaient-ils en fait ? Des inconnus. Des étrangers. Puis, elle était revenue à des idées plus positives en se disant : « Ce sont mes élèves que je vais revoir. C'est vingt ans de ma vie que je vais retrouver. Me reconnaî-tront-ils ? C'est moi qui ne les reconnaîtrai pas. » Il y avait si longtemps.

Ils étaient arrivés à peu près tous en même temps. La température était si douce qu'ils s'étaient d'abord retrou-vés dans le jardin. Dix-huit avaient répondu à l'invita-tion d'Anne. La plupart étaient réservés, mais ils eurent vite fait de se présenter les uns aux autres. Rapidement, l'atmosphère s'était détendue. Chacun rappelait ses bons et mauvais coups. Ils en rajoutaient à leur guise et Anne riait.

Des hommes et des femmes maintenant. Ils se racon-taient. Leur vie, leur mariage, leurs enfants, leur sépara-tion, leur divorce. Ils occupaient des professions diver-ses. L'un enseignait à Montréal. Une autre était devenue chef de cabinet d'un ministre important. L'autre arrivait de Paris où il venait de passer un an à la délégation du Québec. Un autre encore se distinguait du groupe par ses vêtements et son allure excentrique - impossible de sa-voir exactement ce qu'il faisait dans la vie. Et celle qui avait abandonné ses études, pour suivre l'homme de ses rêves, et qui se retrouvait aujourd'hui séparée et sans emploi. Et cette autre encore qui était venue de Califor-nie en avion privé, elle avait épousé un riche Américain et le laissait paraître. Et le médecin, arrivé à la réception plus tard que les autres parce qu'il était de garde à l'hôpi-tal. Et l'avocate. Et la petite dernière, celle à qui Anne avait enseigné l'année précédente et qui ne cessait de parler de Victor Hugo et des *Misérables*. Et le Gaspésien qui s'était perdu à la sortie du pont de Québec. Il avait dit en rentrant : « Uniquement pour vous revoir Madame Anne. » Et il avait ajouté :

— Comme vous habitez loin !

— Mais c'est toi qui viens de loin, lui avait dit Anne en se moquant.

Il y avait aussi le pianiste, accompagnateur au conservatoire. Et enfin, le poète, François. Et tous ces autres avec qui Anne conversait avec plaisir.

La soirée s'avançait doucement. Personne n'avait encore touché le piano. Tous ces anciens élèves ne connaissaient pas la vie d'Anne. Ils ignoraient qu'elle était aussi pianiste. Puis, tranquillement, Thomas s'était approché de l'instrument et les autres l'avaient vite entouré et s'étaient mis à chanter. Anne avait alors décidé de ne pas jouer, de ne pas leur dire. Pour eux, elle serait toujours l'enseignante.

Elle réservait toutefois une surprise à ses invités. François allait bientôt publier son premier recueil de poèmes et il avait promis à Anne de réciter quelque chose. Elle lui avait fait aimer la poésie en passant par Nelligan et les autres. Et ce soir, c'était lui le poète.

Quelques instants plus tard, on l'écoutait parler de poésie, de poètes qui ne cessaient de se flagorner à tour de rêves, de se gargariser de leurs vers, de paraphraser de leurs mots insolites. Et il récitait :

J'écris poésie, poète
et je crie l'inutilité des mots
j'écris peuple, langue
et je ne sens que la froidure des mots

j'écris mer, neige, pays
n'entendez-vous pas tous les sons qui se mêlent
j'écris douleur, rage et fracas
n'entendez-vous pas la tempête des races déchaînées

qu'aurons-nous laissé, dites, poètes
qu'aurons-nous laissé qui perdure
rien d'autre qu'un bout de papier
barbouillé de mots dessinés.

J'écris debout ! Debout poètes !
C'est par nous que passent les mots.
J'écris levons-nous ! Levons-nous !
J'entends la plainte des enfants de ma langue.

On avait applaudi François. On avait ovationné le poète. Ému il avait dit : « C'est mon meilleur récital. » Il avait lu encore quelques textes, accompagné cette fois par le pianiste qui jouait en sourdine. Ensuite, Thomas avait interprété ses airs préférés.

Avant leur départ, Anne avait remis à chacun un souvenir. C'était une plaque toute simple, sur laquelle elle avait fait graver les mots de Cicéron : *Nullo meo merito*. « Sans que j'aie rien fait pour cela », avait-elle dit. Puis, elle s'était arrêtée. Sa gorge était trop serrée. À l'école, on ne lui avait jamais demandé de remettre un méritas à l'un ou l'une de ses élèves. Pas une seule fois en vingt ans elle n'avait eu cet honneur.

Ce soir, elle leur offrait ces mots qui traduisaient ses vingt années d'enseignement. Elle savait maintenant ce qu'ils étaient devenus.

Dès cet instant, l'heure avait passé très vite. Ils repartaient à tour de rôle, non sans regret. Cette soirée avait été unique et le demeurerait.

Anne tenait dans sa main des cartes de visite qu'on lui avait remises, pendant la soirée. Elle avait parlé de son désir de quitter l'enseignement. Même celui de ne pas rentrer dans les jours qui venaient.

Puis, avant qu'ils ne la quittent tous, elle avait dit : « Attendez ! Attendez un moment, je veux vous dire quelque chose. » Et elle avait ajouté : « Vous étiez ma gloire et je ne le savais pas. »

5

Assise au pied de l'escalier, accoudée sur les derniè-res marches, Anne dirigea son regard vers la porte d'en-trée. Un regard vague, perdu. Ils étaient tous partis. Elle enfouit la tête entre ses mains. Ses mains qu'elle aurait voulu que l'on prenne, que l'on tienne en ce moment. Elle se sentait si seule tout à coup. Elle ne voulait plus penser. Elle aurait voulu arrêter le temps. L'arrêter pour un court moment, demeurer ainsi. Ne pas avoir à choisir. Ses mains glissèrent le long de son cou, derrière sa nuque. Puis, son regard se posa sur le dernier tableau qu'elle avait acheté lors d'un voyage à Paris. Comme elle avait aimé se re-trouver dans les petites galeries d'art. Comme elle avait aimé parler avec tous ces peintres rencontrés au hasard de ses promenades. Ce soir, elle avait tout expliqué à ses invités, comment elle avait marchandé cette toile, ce qu'elle représentait pour elle, quel rapport elle en établissait avec les écrivains contemporains. Pour elle, la littérature, la musique, la peinture ne faisaient qu'un.

Maintenant, elle ne pouvait plus refouler ce flot qui montait en elle depuis des heures. Elle paraissait si heureuse quelques minutes auparavant. Elle était à l'aise dans cette robe de soie moirée noire. Le noir lui avait toujours donné l'air raffiné. Elle avait pourtant changé de vêtements trois fois, avant d'en arriver à cette dernière tenue. Tenue de grand soir. Mais n'était-ce pas une soirée exceptionnelle qu'elle venait de vivre ? La plus importante de toute sa vie. La plus déterminante aussi. Le petit tailleur marine aurait fait trop classique. Ce soir, elle avait voulu être plus. Elle avait voulu que ses invités la voient sous cet aspect qu'ils ne connaissaient pas d'elle. Et puis, elle avait essayé une robe de couleur claire dans laquelle elle paraissait une toute jeune femme. Aucune de ces tenues n'avait semblé la satisfaire. C'est alors qu'elle avait choisi cette robe noire, longue, mais sobre.

Cela avait été la plus magnifique soirée de gala à laquelle elle eut assisté. Et en gardant les yeux sur ce tableau qu'elle chérissait, le dernier acquis, elle se leva pour le contempler de plus près. Ses mains glissèrent le long du cadre et comme pour caresser cette image floue, elle les posa sur la toile. Elle sentit alors son âme se rapprocher de l'instrumentiste. Il était presque couché sur sa chaise. De longs doigts pinçaient les cordes de son violoncelle, pendant que son archet en tirait les sons les plus beaux. Elle le vit mêler son âme à celle de tous les musi-

ciens et devenir, à lui seul, l'orchestre. Alors, elle se dirigea vers le salon.

Elle entendait encore les rires de la soirée qui fusaient
de toutes parts. Se rendant jusqu'au grand miroir ancien,
elle vit son reflet dans la glace. Puis, toujours face au
miroir, elle aperçut d'autres tableaux tapissant le mur derrière elle, et la longue table de la salle à manger de style
Louis XV où s'étaient accoudés, il y avait à peine une
heure de cela, quelques-uns de ses invités. Et rappro-
chant encore son regard du cadre, elle se vit, telle qu'elle
avait été ce soir. L'image ne la laissa pas indifférente.
Enfant, elle aurait toujours voulu savoir qui était cette
petite fille derrière le cadre. Dans le cadre. Elle aurait
voulu plonger à l'intérieur de ce monde inexistant. Peut-
être y aurait-elle trouvé un ami avec qui partager, avec
qui parler, à qui elle aurait pu tout dire. Sans retenue.
Sans pudeur.

Ce monde imaginaire de ses quatre ans lui revenait
maintenant. Comme dans un brouillard. Face à elle-
même, elle recherchait encore cette fillette derrière
l'image. Sa solitude ne serait donc jamais comblée ? Elle
jeta à nouveau un regard sur sa vie. Ses yeux brillaient
toujours, ses cheveux étaient soyeux. Elle pouvait encore plaire. Du moins, le croyait-elle. Alors, que cher-
chait-elle enfin ? Sa vie.
Elle voulait, ce soir, la regarder de près, l'analyser.
N'avait-elle pas essayé de faire le point toute la soirée ?
Elle avait cherché à travers celle des autres, la sienne. Sa
route serait donc si longue ? En verrait-elle l'aboutisse-

ment, l'endroit où s'arrêter, se reposer, sans rien dire, sans penser presque ? Juste se laisser vivre. Se laisser faire, comme le jour où elle aperçut, pour la première fois, un mouton.

Les épaules larges de son père la portaient. Elle avait ses mains frêles autour de son cou et sa tête s'appuyait doucement contre ses cheveux. Il lui semblait avoir gravi la plus haute montagne du monde. Elle se sentait loin, loin. En bas, les maisons étaient devenues minuscules. Et la mer encore plus large. Plus grande à traverser. Les moutons, les petits, elle les avait vus de près, les avait presque touchés. Quelle douceur dans leurs yeux ! Et maintenant, la main de son père tenant la sienne, il ne pouvait rien lui arriver. Sa force était inébranlable. Parce qu'il était son père. Sa grosse main contournait le bout de ses doigts, ses petits doigts fragiles d'enfant et, de temps en temps, de son pouce il les caressait. Ainsi, ils redescendaient la montagne tous les dimanches après-midi et allaient, plus tard, rejoindre sa mère et finir leur longue promenade sur la plage. Jamais d'autres enfants, jamais d'autres pères ni mères ne s'y rendaient. Elle, seule avec eux. Tous trois assis sur la grosse roche où un jour, elle vit sortir une couleuvre. « Attention à la petite » avait crié sa mère. Elle n'avait pas eu peur, son père aussitôt l'avait rassurée. Ce n'était rien. Rien qu'une toute petite couleuvre. Il y en aurait de bien pires plus tard dans la vie. Elle le savait maintenant. De bien plus dangereuses. De vraies vipères qui empoisonnent l'existence entière.

Anne était demeurée inerte, pendant un long moment.

Comme si le temps eut pu l'attendre sans avancer. À nouveau, de son regard, elle scruta le miroir comme pour y voir apparaître le fond de sa vie. Ce dernier lui rappela d'un coup les moments où elle marchait, un petit miroir sous le menton. Ainsi, elle voyait le monde à l'envers. Elle marchait dessus et tout avait du sens. Elle marchait au plafond pour de vrai, levait le pied pour passer au-dessus d'un cadre de porte. Quel plaisir elle avait à jouer avec la glace qui pouvait devenir porte-malheur, si elle venait à se casser. De l'imprudence ! De la pure imprudence jouer ainsi avec le sort de sa vie. Elle riait. Sa vie ! Ce soir dépendait-elle encore d'un petit miroir où elle pourrait voir le monde à l'envers ? Elle l'avait vu, le monde, pendant toutes ces années. À l'envers. À l'endroit. De tous les côtés. Il lui paraissait partout pareil.

Elle regarda son image attristée. Elle se retourna pour chasser cette vision. Elle avança jusqu'à la console au plateau de marbre près du haut vaisselier et y prit la boîte à musique de collection. Elle remonta le mécanisme et déposa le précieux coffre de bois de rose peint à la main. Elle leva un couvercle, puis un deuxième, celui d'où l'on pouvait voir le jeu des notes à travers une vitre. Là, le son serait parfait. Elle poussa le bouton sur le côté du coffre et la *Polonaise*, opus 53, de Chopin se fit entendre. De toutes petites notes dorées et une mélodie pure, parfaite. Un son qui endort les enfants.

Tant de calme lui venait maintenant. Elle était seule avec elle-même. Seule avec la nuit.

Plus tard, un silence profond vint la tirer de sa nostalgie. Elle tenait, serrées dans sa main gauche, depuis plusieurs heures, des petites cartes de visite chiffonnées, mouillées par la moiteur de sa main. Elle les regarda, les serra à nouveau, puis éclata. Elle avait besoin de pleurer, de se soûler de ses larmes. Personne ne savait. Personne ne pouvait savoir ou comprendre. Elle seule déciderait. Son destin se jouerait-il cette nuit, au hasard de ce petit jeu de cartes ? Elle se dirigea lentement vers le vestiaire, y décrocha une veste qu'elle y laissait toujours, s'en couvrit les épaules et sortit.

La nuit était calme et douce. Tout était si paisible. Elle marcha sur cet immense terrain qui s'ouvrait à elle, à l'orée de son propre jardin. Il ne faisait pas trop noir. Elle leva les yeux et vit que la lune brillait. Elle apercevait les étoiles. Cette nuit, elle ne devait plus avoir peur de rien. Pourtant, sa solitude devenait de plus en plus présente en elle. Elle s'aventura ainsi jusqu'au *Petit lac aux canards*, comme l'avait baptisé son fils quelques années auparavant.

Elle les appela ses canards. Ils lui appartenaient presque, puisqu'elle venait les nourrir tous les soirs à la brunante. Aucun ne répondit à son appel.

« Allez, venez les canards », s'entendit-elle répéter. Mais rien ne bougea. La nuit les faisait se terrer et peut-être même se méfier de cette femme qui les aimait pourtant. Ce soir, même eux ne pouvaient rien pour elle.

Alors, elle courut s'asseoir sur le seul banc qui se trouvait près de l'étang et s'y réfugia dans l'ombre de la nuit. Elle referma sur elle, en croisant les bras, la veste qu'elle avait jetée sur ses épaules. Elle frissonna. Elle tenait toujours le petit jeu de cartes blanches, à l'écriture d'encre noire, verte ou dorée, bien serré entre ses mains glacées maintenant. Elle respira profondément. Combien de femmes au monde pouvaient vivre pareil moment ? Une seule réponse lui vint : aucune, hormis elle.

Ce moment pouvait être aussi merveilleux que tout le reste, il n'en tenait qu'à elle de décider. Cette nuit était belle. Cette même nuit pouvait lui parler, répondre à toutes les questions qu'elle se posait et reposait sans cesse, depuis des heures, des jours même. Cette nuit était là, présente à elle. Pour elle seule. Elle la sentait presque humaine. La nuit déciderait avec elle, serait sa complice, et ainsi elle se sentirait toujours plus forte, à cause de l'énergie qu'elle y aurait puisée. Elle entrouvrit sa main gauche et, malgré elle, laissa tomber les minuscules cartes. Quelle importance. Maintenant, elle savait. La peur la quittait doucement, comme la nuit faisant place au jour.

Elle venait de repenser à sa vie, à ce mois de juin où tout avait basculé. Elle s'était revue, vêtue d'un long peignoir blanc, une serviette enroulée sur ses cheveux mouillés. Elle accompagnait son mari à un congrès à Montréal. On frappa doucement à leur chambre. Avant d'ouvrir, elle prit soin de refermer la porte de la salle de bain. Fausse pudeur ? Elle n'en savait rien. Elle avait posé ce geste simple marqué d'une timidité presque infantile.

Le garçon d'étage sourit poliment et poussa le chariot garni du petit déjeuner jusqu'à la table ronde, entourée de deux causeuses de style anglais recouvertes d'un tissu fleuri. Anne, aussitôt, se dirigea vers son sac à main déposé dans le premier tiroir de la grande commode bien placée entre deux larges fenêtres garnies de tentures, fleuries elles aussi, et s'harmonisant aux deux petits fauteuils. Discrètement, elle tira de son porte-monnaie un généreux pourboire et le déposa dans la main du jeune serveur.

« Merci Madame. » Il hésita puis ajouta : « Je sais que vous aimez les roses jaunes. J'ai triché. Les jaunes, c'était pour le service de ce soir seulement. »

Anne sourit. Le jeune homme était gentil. Depuis le temps qu'elle venait à cet hôtel, elle connaissait maintenant plusieurs employés. Et puis, le personnel pouvait demeurer en poste des années durant. Elle ne savait rien d'eux. Rien d'autre que l'attention particulière accordée au service qu'ils se devaient d'offrir aux clients de l'établissement.

Elle referma la porte derrière lui, respira un grand coup puis s'approcha du plateau. Elle prit la fleur, sentit son parfum, tout doucement essuya du revers des doigts une gouttelette de rosée et toucha le pétale frais de la rose. Délicatement, elle s'avança et déposa le vase sur la cheminée. Elle sourit, enleva le turban de ratine enserrant ses cheveux et, la tête en bas, frotta généreusement sa chevelure. Quelle belle journée ce serait !

Elle se dirigea vers la fenêtre donnant sur la cour intérieure de l'hôtel, tira un premier rideau opaque, puis un deuxième voilé et fit entrer ainsi la pleine lumière dans la chambre. Oui, la journée serait belle et chaude. Un beau 25 juin 1990.

Anne revint rapidement vers son petit déjeuner. Elle entendit à l'instant le bruit de la douche s'arrêter. Philippe la rejoindrait et ils mangeraient en tête-à-tête. Elle versa le café noir encore bouillant dans les tasses de porcelaine fine, prit un croissant avec de la confiture et commença à manger tout de suite tellement elle avait faim. En même temps, elle jeta un coup d'oeil pressé sur le journal déposé dans un coin du cabaret en argent. Elle le déplia d'une main et but son café de l'autre. L'annonce du défilé de la fête de la Saint-Jean-Baptiste y figurait en gros titre à la première page. Elle lut plus loin l'itinéraire du défilé. Une seule idée lui vint, y aller. Le défilé n'avait pas eu lieu la veille, comme d'habitude, à cause de la pluie. « C'est une vraie chance », pensa Anne.

Philippe, souriant, vint l'embrasser.
— Je vois ! Des roses jaunes pour Madame.
— C'est de ta faute, dit Anne. Si tu ne m'avais pas fait autant aimer ces fleurs, il n'en serait pas ainsi.
Il riait.
— Je t'aime.
— Tu viens à la Saint-Jean avec moi cet après-midi ? demanda Anne.
— J'ai dit je t'aime.
— Oui, moi aussi. Tu viendras avec moi ?
— Tu sais ce que je pense de ces choses, ajouta Phi-

lippc.

— Mais aujourd'hui ce sera exceptionnel, il y a la mort du Lac Meech et puis…

Son mari ne la laissa pas terminer.

— Justement, il y a la mort du Lac Meech. Ce n'est pas le moment de parader dans les rues avec la foule. Anne, on devait passer un après-midi tranquille à lire et se faire dorer au soleil. Puis ce soir, il y a ce dîner.

— Je sais tout cela. Toi tu te feras bronzer à l'hôtel si tu veux. Moi je me ferai cuire en paradant. Ça revient presque au même, non ?

— Anne ! écoute-moi ! Tu seras seule dans cette foule, quel plaisir peux-tu y trouver ? Cela peut même être dangereux. Et s'il t'arrivait quelque chose, tu aurais l'air fin, n'est-ce pas ?

— Il ne m'arrivera rien du tout. Que veux-tu qu'il m'arrive. Je ne suis pas une enfant. J'irai ! Et ni toi ni personne ne m'en empêchera. Et je t'accompagnerai, moi, à ton dîner.

Elle était devenue ironique. Elle était déçue et avait de la difficulté à le cacher.

Elle avait terminé son petit déjeuner. Elle n'avait plus faim maintenant. Jamais elle n'avait assisté avec son mari à une fête populaire. Il détestait les bains de foule. Elle, elle aimait s'y perdre. Rapidement et nerveusement, elle avait enfilé un bermuda beige et un chemisier blanc à manches courtes. En un rien de temps elle avait chaussé des bas de coton et une paire d'espadrilles assorties. Elle serrait maintenant sa ceinture et s'arrêta un instant pour regarder l'homme, assis là, en face d'elle, lisant les co-lonnes du *Financial Post*. Elle s'avança près de lui, prit son petit chapeau de coton blanc déposé sur un fauteuil la veille, plia délicatement comme un mouchoir le minus-cule drapeau bleu et blanc, après l'avoir arraché au bâton qui le retenait, et épingla à son chapeau le fleurdelisé.

— Tu es bien certain de ne pas vouloir m'accompa-gner ? dit Anne.

Philippe laissa tomber le journal sur ses genoux et la regarda d'un air interrogatif.

— Tu ne vas pas te promener attifée ainsi ?

Qu'est-ce qui ne va pas ? Anne se tenait debout devant Philippe, les deux mains dans les poches. Elle se pencha légèrement et regarda ses pieds. Ah ! j'ai chaussé ces espadrilles pour ne pas avoir mal aux pieds. Je sais qu'elles sont usées mais enfin …

— Non ! Je parle du chapeau, dit Philippe.

— Ah ! le chapeau. Je vois, dit Anne, le drapeau. Il te dérange. Je ne l'enlèverai pas. Je préfère avoir les mains libres. C'est plus pratique que sur un bâtonnet.

— Où t'es-tu procuré cela ?

— Ici en bas, à la petite boutique de l'hôtel. J'y suis allée lorsque tu étais occupé à parler à Monsieur Foster. J'ai acheté le drapeau et cette revue, là, tu vois ?

Elle montra la revue *L'Actualité* qui ressortait à peine sous la pile de journaux d'affaires décortiqués par son mari la veille.

— Bon ! J'y vais.

— Anne ! s'il te plaît, ne rentre pas trop tard.

— Je serai de retour pour le cocktail. Elle embrassa Philippe à la hâte et partit.

Il lui sourit.

Elle sentait une énergie nouvelle l'envahir, une espèce de liberté qu'elle n'avait pas ressentie depuis longtemps. Il était onze heures quinze. Elle avait bien du temps à elle avant le défilé. Elle se rendrait d'abord dans une bonne librairie, bouquinerait un peu, luncherait dans un petit café dans l'ouest de Montréal et se rendrait jusqu'à la rue du Parc, à pied, afin de ne rien manquer de tout le spectacle.

Elle s'était attablée tôt dans un petit bistrot, au hasard d'une rue, et y était demeurée très longtemps. Elle en était à son troisième café. « Beaucoup trop », se disait-elle, mais elle se croyait obligée de consommer. Elle se souvenait s'être fait sortir d'un petit restaurant à Salzbourg parce qu'en une heure elle avait pris un seul café et écrit cinq cartes postales. Mais ici elle était chez elle, au Québec. Ce Québec qu'elle verrait défiler tout à l'heure, avec qui, pour qui, elle marcherait. On n'allait pas lui demander de quitter les lieux.

Un souvenir lui revint soudain. La Saint-Jean de sa jeunesse. Ici à Montréal, on ne connaissait pas la vraie Saint-Jean-Baptiste de ses ancêtres. Elle, elle l'avait vécue. En Gaspésie, les défilés étaient très rares, mais les feux, les vrais feux de la Saint-Jean, les feux de grèves si hauts et si flamboyants que l'on pouvait les apercevoir de partout au village, elle n'en avait manqué aucun. C'était une fête extraordinaire chaque année. Tout le monde y déposait du vieux bois rongé par la mer. Ces feux, c'était une vieille coutume des Normands fixés au Québec. Elle se rappela son grand-père racontant un Salut au Saint-Sacrement célébré par le curé de la paroisse puis, la rencontre des paroissiens sur la plage, le curé en étole bénissant le bûcher avant d'y mettre le feu. Quel symbole ! Le feu et la mer si près, sans toutefois jamais se rejoindre.

Il y avait plus de trois siècles que l'on fêtait la Saint-Jean. « Quelle poésie que tout cela ! » pensa Anne.

6

La dernière fois qu'elle avait fêté la Saint-Jean-Baptiste en Gaspésie, Anne s'en souvenait clairement. C'était un an avant son départ pour la ville. C'était en 1969. Des garçons et des filles des villages voisins venaient toujours dans son propre village. On aurait dit que le feu y était plus beau, plus gros, plus pétillant chaque année. On prenait toujours soin de garder une réserve de guimauves afin de bien les faire dorer, le moment venu, sur les dernières braises. Souvent, des touristes venaient s'ajouter aux fêtards. Tous y participaient. Les jeunes comme les vieux. Et Jean-Pierre avec sa guitare ne manquait jamais cette occasion de faire éclater sa voix qui se perdait avec le bruit du ressac. Inlassable tempo.

— Du Vigneault, Jean-Pierre, du Vigneault.

Et Jean-Pierre chantait :
    Tombée la nuit
    Fermé le jour
    Il n'est de vrai que nos amours …

    Est un pays, bonheur misère
    Tout commencé
    Tout reste à faire…

C'est ce soir-là qu'Anne rencontra pour la première fois Christian. Elle ne savait rien de lui. Elle avait d'abord pensé qu'il était un touriste. Tranquillement, il s'était approché d'elle.

Puis, ils avaient échangé quelques mots. Et plus tard, il lui avait demandé :
— Vous venez marcher au bord de la mer ? J'aime entendre le bruit des vagues de près.

Anne s'était tout de suite sentie attirée par cet homme, mais elle ne voulait pas le laisser paraître.
— Que faites-vous dans la vie ? lui avait-il demandé.
— J'enseigne à l'école secondaire au village voisin.
— Et vous ? avait demandé Anne à son tour un peu curieuse.
— Je suis médecin.
— Médecin ! Il est rare que l'on puisse rencontrer un médecin ici. Vous êtes en vacances pour longtemps ?
— Je ne suis pas en vacances, je travaille à l'hôpital, depuis six mois. À vrai dire, je suis le nouveau chirurgien.

—Ah ! C'est vous ? Que faites-vous ici alors ? L'hôpital est à cinquante kilomètres.

Il avait ri.

— Je suis venu voir une patiente qui ne peut se déplacer. Elle demeure au village voisin. J'ai vu le feu, de la route, en passant. Et voilà ! J'y suis.

— Oui, le feu … Anne n'avait pas su quoi dire. Elle s'était sentie gênée, mal à l'aise.

Ils étaient arrivés ainsi jusqu'au bout de l'anse du village. Une rivière les empêchant d'aller plus loin.

— Vous voulez traverser ? lui avait-il demandé.

— Non, avait répondu Anne, c'est beaucoup trop creux. Vous ne connaissez pas la mer, ni la gorge de la rivière.

— Mais je sais nager, avait dit Christian.

— Pas moi, avait répondu Anne, un peu gênée à nouveau.

Sur le bord de la mer on n'apprenait pas à nager. On savait la puissance et la force de celle-ci. On se baignait en avançant dans les vagues jusqu'à la taille. À marée basse, lorsqu'il y avait des grandes plaques de terre, on s'aventurait plus loin. L'eau, ces jours-là, était plus chaude et l'on pouvait s'y coucher, juste au bord. Mais la marée montait vite. Il fallait toujours être vigilant.

Il l'avait regardée. De grands yeux bruns, doux. Elle avait l'air paisible, mais quelle tristesse au fond de ses yeux !

Sur la plage, il n'y avait aucun éclairage. Juste la couleur des vagues bleutées. Et les étoiles. En ville on n'apercevait jamais les étoiles. Ce soir-là, il s'étonnait d'en voir plus qu'à l'habitude. Peut-être était-ce à cause de cette jeune femme. Qu'avait-elle de plus que les autres pour qu'il s'y arrête ? Il était plus âgé qu'elle, cela se voyait, mais il avait l'air très jeune malgré ses trente-neuf ans.

Soudain, il avait eu envie de la prendre par les épaules, la toucher. Elle l'avait regardé à son tour et leurs yeux s'étaient croisés. Le feu maintenant était loin et presque éteint.

— Je m'appelle Anne, et vous ?

— Anne. C'est étrange, c'est le nom de femme que j'ai toujours préféré. Moi, je suis Christian. Christian Villeneuve.

— Et vous êtes médecin ? Vous ne ressemblez pas à un médecin. Elle sourit.

— Et vous, vous ne ressemblez pas à une maîtresse d'école. D'habitude elles sont vieilles et pas trop jolies. Il avait ri à nouveau. Le médecin, vous l'avez toujours vu en sarrau blanc à l'hôpital, je suppose ?

— J'ai toujours craint les médecins, depuis mon enfance.

— Mais pourquoi ? Ils sont là pour vous aider. Regardez-moi. Je n'ai pas l'air trop méchant, du moins je l'espère. Parlez-moi de vous, avait-il dit soudain.

— Que voulez-vous savoir ? Mon père est décédé, dit Anne. Bon ! Voilà !

Puis, elle était devenue silencieuse.

Il ne dit rien. Mais il avait compris par cette courte phrase, sa peur, son angoisse.

— J'avais onze ans à peine. Vous voulez que l'on s'assoie, là, sur cette bûche ?

Anne avait montré du doigt une grosse bûche large qui avait sans doute été rejetée par la mer depuis plusieurs jours. Elle était enfoncée dans le sable.

Ils étaient face à la mer, assis l'un contre l'autre. Il faisait doux. Anne avait ramassé un bois de grève en marchant et faisait des dessins, machinalement dans le sable, entre ses pieds écartés.

— Votre père, de quoi est-il mort ?

Anne avait regardé cet homme à côté d'elle, il était très rare qu'on lui parle de son père et elle n'en parlait pas non plus. Elle avait toujours refusé sa mort, comme s'il eut pu revenir. Autrefois, petite fille encore, elle s'imaginait qu'il pourrait un jour lui apparaître. Comme dans ces livres où l'on racontait des histoires de saints.

— Il a fait une thrombose. Je ne veux pas vous raconter cela.

Elle se souvenait uniquement des cris stridents dans le soir. Les cris de sa soeur. Puis, étaient venus des gémissements, des pleurs. Les siens. Et l'éclatement en sanglots de sa mère. Et son père mort. Et elle, seule dans la nuit.

Il était mort à six heures le soir. Très vite. Elle, en tablier, dressant le couvert de celui qui allait rentrer. Lui, assis, la main derrière sa nuque, son bras tombant, et un dernier regard. Juste un regard pour dire adieu. Sans un mot. C'est si fort et si bref. Ce n'est même pas la durée d'une caresse.

Christian avait mis son bras autour de ses épaules. Elle avait ressenti sa force. Que pouvait bien faire cet homme dans sa vie, ce soir-là ?

Ils étaient restés ainsi un bon moment, sans parler, juste à écouter la mer.

— Retournons, avait dit Anne, les autres sont presque tous partis. Ils vont se demander où je suis passée.

— Cela vous importe ?

— Oui, ça m'importe.

Cette fille était différente des autres. Elle avait quelque chose en elle que Christian n'arrivait pas à s'expliquer. Il sentait une attirance très forte envers elle. Une espèce de communion qui ne peut se produire qu'une fois dans une vie.

Ils étaient arrivés maintenant à l'endroit où s'éteignait le feu. Il ne restait plus que des braises. Des jeunes garçons prenaient soin d'enterrer les tisons en jetant des poignées de sable dessus.

— Vous ne croyez pas que cela puisse être dangereux, il y a encore de la braise ?

Il s'inquiétait, les maisons étaient près de la plage.

— Mais non, ces garçons vont tout éteindre avec le sable. Ne vous inquiétez pas, ils ont l'habitude. Et puis cette nuit, il ne ventera pas.

Seule une fille du bord de la mer pouvait parler ainsi.

Anne avait aperçu, juste avant de quitter les lieux, son sac de guimauves qu'elle avait laissé là, près de l'endroit où ils s'étaient assis au point de départ.

— Vous en voulez ? avait-elle dit.

— Une autre fois, bien grillées. Puis, il avait ajouté, hésitant : « Si vous voulez bien me revoir. »

Anne avait baissé les yeux. Elle n'avait pas répondu.

— Je vous dépose chez vous ? Ma voiture est ici, tout près.

Elle avait hésité, puis accepté. Elle était si méfiante, comme une petite bête sauvage que l'on essaie d'apprivoiser, elle s'approche et, au moment où on a l'impression que l'on va la tenir, elle s'enfuit.

— Je demeure là, dit-elle en montrant sa maison. J'habite avec ma mère et ma soeur Camille.

Christian avait reconduit Anne jusqu'à la porte de derrière, dans la cour, et avait immobilisé l'auto. Il lui avait pris la main. Elle l'avait regardé et avait retiré sa main doucement, puis était sortie de la voiture. Il était sorti à son tour et s'était approché d'elle.

— Qu'est-ce qu'on entend là ?

— C'est la rivière.

— Vous avez le bonheur de vivre sur le bord de la mer et d'avoir la rivière qui coule derrière chez vous en plus ?

— J'aime beaucoup la rivière, avait dit Anne.

Ils s'étaient tenus debout tous les deux face à la rivière. Christian avait eu envie à nouveau de prendre cette femme dans ses bras. Il avait eu une folle envie de l'embrasser. Comment s'y prendre avec elle, pour ne pas la blesser, pour la revoir ? Alors il avait juste effleuré sa bouche. Elle sentait bon l'air frais de l'été. Elle sentait bon ses vingt ans. Elle sentait bon l'air salin qu'ils venaient de prendre tous les deux.

— Puis-je vous revoir, Anne ?

— Je ne sais pas, vous êtes médecin et puis...

— Et puis je veux vous revoir. Disons dans une semaine. Tenez, attendez ! Il s'était senti tout à coup maladroit, nerveux. J'ai un carnet ici et un crayon. Alors, écrivez votre numéro de téléphone, s'il vous plaît. S'il vous plaît, Anne.

Anne lui avait souri et avait écrit son numéro.

— Je vous téléphone bientôt. C'est promis, avait-il dit.

Il avait porté le bout de ses doigts à ses lèvres et avait touché celles d'Anne en guise de baiser. Il l'avait regardée et avait dit en ouvrant la portière :

— C'est la plus merveilleuse Saint-Jean de toute ma vie. Je vous téléphone.

Anne avait eu le coeur battant. Il l'avait regardée à nouveau, et à son tour elle avait plongé son regard dans le sien. Il avait les yeux bleus. Très bleus. Elle venait juste de s'en rendre compte.

Puis elle était rentrée. Sa mère, malade, l'attendait avec impatience pour recevoir sa piqûre de morphine.

7

Christian avait revu Anne. Le dimanche, tôt l'après-midi, lorsqu'il n'était pas de garde à l'hôpital, il venait la rejoindre. Ils se retrouvaient en un seul lieu. Il y avait, ce jour-là, comme des étoiles dansantes sur la mer, comme un ciel illuminé de jaune. Anne savait qu'ils prenaient à eux deux une portion d'éternité.

Ils étaient, avant de se connaître, bien loin, autrefois, enfants peut-être, dans l'histoire l'un de l'autre. Anne voulait le croire. « Ainsi, se disait-elle, je ne te perdrai jamais. Nous sommes en train de vivre un siècle. »
C'était dimanche et il n'y avait plus de temps.

Elle voulait refouler la douleur d'aimer cet homme.
« Pas encore, se disait-elle, viendra bien le temps des

jours à passer. » Cela, elle le savait. Elle le sentait au fond de son être.

Et l'espace de silence à aimer, l'espace à espérer. Plus tard, elle reconnaîtrait cet espace et leurs morceaux de mémoire racontés en un seul lieu.

En ce moment même, elle voulait laisser vivre la vie, sans chercher, sans rien demander. Plus tard, bien plus tard, plus loin, bien plus loin, ils cacheraient leur douleur en faisant semblant. Dans la foule. À travers la ville. La grande ville triste parfois.

— Je ne veux pas te perdre. Jamais, avait dit Anne. Jamais !

Elle s'était arrêtée et le regardait intensément, inquiète.

— Tu ne me perdras pas. Tu ne me perdras pas. On se retrouve toujours. Tu le sais bien, disait-il doucement.

Il se tut. Puis il ajouta :

— Tu m'as appris à aimer, Anne.

— Je ne comprends pas.

— Tu m'as appris l'âme. Et c'est pour cela que l'on ne se perdra jamais. Où que nous soyons, nous nous re-joindrons. Toujours. Par la brise un après-midi du di-manche. Par un bord de mer et ses vagues. L'inlassable beauté des vagues qui ne meurent pas sur le rivage, puis-qu'elles se refont sans cesse. Si l'homme pouvait en faire autant.

Anne ne dit rien. Ils marchaient maintenant jusqu'au bout de l'anse en regardant vers la mer, d'où ils aperce-vaient, sur la côte, la petite église. Soudain Christian dit :

— Ailleurs, ce sera toujours ici.

— Comme tout me semble fragile tout à coup, dit Anne. Parce qu'il fait trop beau. Parce que c'est dimanche. Parce que je t'aime trop.

— Non. Non, Anne. Ne dis jamais cela. On n'aime jamais trop. Ta douceur, ta tendresse, cela n'est pas fragile. C'est ta force d'aimer et d'être aimée.

Anne aurait voulu enfermer tous ces mots comme un trésor. Les enfouir dans les sables, les coquillages et pouvoir les ressortir et les entendre bien des années plus tard, intacts et purs, comme en cet instant.

Beaucoup plus tard. Quand elle aurait vieilli. Quand elle aurait quarante ans. Quand elle aurait un immense besoin de tendresse.

Christian l'avait embrassée, doucement. Puis, Anne avait posé sa main sur sa joue et l'avait embrassé à son tour.

— C'était bien doux, avait-il dit en souriant.

— Pardon ?

Elle avait dit pardon nerveusement. Peut-être avait-elle voulu entendre à nouveau ces mots. Et il les avait répétés en les détachant les uns des autres.

— C'était bien doux.

C'était bien doux le sable fin, la brise d'été. L'été qui s'avançait doucement.

— Ma tendresse, dit-il, ma tendresse.

Et il l'étreignit là sur les sables, sur la grève. Il aurait voulu la caresser, l'aimer.

— Il y a des enfants qui viennent, Christian.

Christian l'embrassait maintenant avec sensualité.

— Ce n'est rien, dit-il. Je te veux Anne. Je te veux.

— Non. Non, pas ici, Christian.

— En pleine lumière. En plein soleil. Je te désire. Je te désire tant.

Il la voulait au seuil du silence, comme les mouettes veulent la mer. À marée haute. Au large des mots. À l'horizon de la mer. Là où le ciel se couche sur elle, l'embrase et la prend. Complètement. À travers le soleil et le feu.

Anne se dégagea doucement de lui.

— Rentrons, dit-elle. Je dois rentrer, tu le sais bien. Viens voir ma mère. C'est toi qui feras la piqûre aujourd'hui.

— Oui. C'est toi qui as raison, dit-il. Mais je suis fou de toi. Je suis fou de toi, Anne.

Ils quittèrent le bout du banc de sable. Le bout de l'anse. Les enfants n'étaient plus là. Il était seize heures et la marée était basse. Derrière le paysage, on sentait presque de la tristesse.

— Donne-moi la main, dit Anne. Prends-moi la main. Si un jour nous devons ne plus jamais nous revoir, je voudrais que tu me dises quelque chose de beau. De loin. Si fort au-dedans de toi que je t'entende.

Sur le sable mouillé, Christian s'était penché et avait écrit : C'ÉTAIT BIEN DOUX.

8

La mère d'Anne aimait bien quand c'était le médecin qui la soignait. Ainsi, elle se sentait rassurée, elle se sentait mieux. Alors, elle avait demandé :

— Si tu jouais un peu de piano, Anne ? Jouez vous aussi, Docteur. C'est si beau de vous entendre tous les deux.

Elle n'osait jamais appeler Christian par son prénom. Elle le savait plus âgé que sa fille, et marié, et séparé. Puis, elle sentait bien cette passion qui dévorait Anne. « Elle souffrira , se disait-elle. Ma grande. Ma belle grande. »

Anne avait aidé sa mère à se recoucher. Puis, en l'espace d'un instant, elle avait vu sur son visage, dans ses yeux, un sourire rempli d'une telle tristesse. Un sourire qu'Anne fixera à jamais dans sa mémoire. Un sourire d'éternité triste. Alors, elle s'était installée au piano et avait joué un mouvement de la sérénade d'Elgar. Celle que sa mère préférait. Elle avait fredonné des mots. Pour sa mère. Comme pour l'endormir. Comme pour la bercer à son tour. Des mots qui appelaient l'heure charmeuse du soir qui descend. Des mots qui parlaient d'amour, qui faisaient s'étendre la nuit comme un manteau. Des mots de douceur, de promesses. Des mots qu'on écoute à genoux.

« Je t'aime à jamais », avait-elle murmuré. Elle ne chantait plus. Sa gorge s'était serrée sans qu'elle ait pu terminer ces mots qui voulaient qu'elle ne regrette jamais rien. Même l'agonie du jour.

Alors, Christian s'était assis tout près d'elle au piano et avait mis son bras autour de ses épaules. Anne ne s'était pas arrêtée de jouer. Des larmes maintenant glissaient sur ses mains. Et ses mains glissaient sur les notes mouillées.

« Bon, des pièces joyeuses ! » avait-il dit. Christian était resté avec elle encore un long moment. Ils avaient parcouru un cahier de pièces pour quatre mains.

La petite soeur était rentrée pour le souper. Un autre dimanche s'achevait.

Cette nuit-là, Anne eut de la difficulté à s'endormir. Elle revoyait sans cesse Christian. Elle descendait un long fleuve. Ses pieds étaient nus sur des pierres froides. Elle voyait la face large de la montagne, s'élançait à travers

elle, en elle, et franchissait l'invisible pour l'atteindre, lui.
Elle sentait ses mains sur son corps.

Ce dimanche avait été la descente du ciel jusqu'à eux.

9

Jusqu'à la limite du possible, Anne avait soigné sa mère à la maison. Maintenant, la malade souffrait trop. Depuis la rentrée scolaire, il devenait de plus en plus difficile de bien prendre soin d'elle. Anne faisait tout ce qu'elle pouvait, mais n'était pas toujours présente à la minute où il le fallait. Septembre étant là, elle avait recommencé à enseigner. Une jeune fille demeurait auprès de la patiente, pendant son absence. Mais les piqûres de morphine, seule Anne pouvait les faire, et elles devenaient de plus en plus rapprochées.

En octobre, elle hospitalisa sa mère. Grâce à Christian, elle avait obtenu une chambre privée, mais pas n'importe laquelle. La chambre noire. La chambre à mourir. Sa mère l'avait tout de suite reconnue. Il y en avait une seule dans tout l'hôpital. La petite fenêtre donnait sur un mur de pierres, de telle sorte que la lumière ne pouvait pénétrer dans la pièce. Pas d'odeur de feuilles d'automne. Pas d'odeur de vent d'automne. Même pas d'odeur de feuilles mortes que l'on brûle. Seule l'odeur de l'hôpital, de la maladie, de la mort qui vient avec lenteur, régnait dans cette chambre, du matin jusqu'au soir.

Ce jour-là, Anne avait pleuré. Beaucoup. Plus jamais sa mère ne reviendrait à la maison. La fin devait approcher. Ni elle ni sa soeur ne la reverraient le matin, avant de partir pour l'école.

L'hôpital était loin, dans un autre village, à plusieurs kilomètres. Anne réussit, toutefois, à s'y rendre tous les jours. Un confrère enseignant faisait l'aller retour chaque soir, après l'école, et il avait accepté d'aider Anne.

Les fins de semaine, les deux soeurs se retrouvaient au pensionnat où Anne avait étudié pour devenir enseignante. Il y avait de cela deux ans à peine. Maintenant, cette école était fermée. Les choses avaient changé en si peu de temps. Les cours se donnaient désormais en ville. Anne avait demandé aux religieuses de les loger du vendredi soir au dimanche. La directrice avait accepté. L'hôtel était impensable. Elles n'avaient pas assez d'argent et leur mère avait besoin de ses filles. Et elles avaient un immense besoin d'elle. Encore.

Tous les vendredis, vers dix-sept heures, les religieuses accueillaient deux pensionnaires. On les avait installées dans la plus belle aile du couvent. L'autre partie, celle où Anne avait dormi au temps de ses études à l'École Normale, était fermée. On ne la chauffait plus. Ainsi, avec Camille, elle partageait une chambre très modeste, munie de deux lits simples. Le seul luxe, un lavabo. Le plafond était haut. Très haut. Anne le fixait tous les soirs. Comme c'était long avant de s'endormir. Dès le premier soir, elles avaient rapproché les deux lits. Camille tenait la main d'Anne bien serrée.

— Tu ne sors pas, Anne ? Tu ne sors pas ? J'ai peur ici, moi.

— On est bien, ici. On est en sécurité. Ne t'inquiète pas. Les religieuses sont bonnes pour nous. Tu vois, c'est gratuit. Et nous pourrons passer toutes les fins de semaine avec maman.

— La nourriture n'est pas bonne.

— Ne dis pas cela. Ce n'est pas grave. On apportera de quoi grignoter la prochaine fois. Tu sais, ces femmes sont comme nous. Bon ! Disons presque comme nous. Elles sont âgées pour la plupart, mais il y a deux jeunes au moins. Tu les as vues ? Puis Anne continuait à rassurer sa soeur. Camille s'était endormie.

— Bonne nuit. Beaux rêves, avait dit Anne à voix basse.

Elle avait éteint la lampe de chevet. Ses yeux s'habituaient lentement à l'obscurité. Une lueur entrait maintenant dans la pièce. C'est à ce moment qu'Anne vit les planches au plafond. Elle les compta. Elle compara les noeuds qui se trouvaient sur chacune d'elles. Tout cela sans pouvoir faire le vide, sans pouvoir dormir. Doucement, elle se leva et s'appuya contre la fenêtre.

C'est alors qu'elle vit la maison de Blanche sur la falaise. Comme autrefois. Puis son regard devint lointain.

Anne ne distinguait plus la maison illuminée du poète. Il y avait une éclipse de lumière. Appuyée contre la vitre froide, elle n'apercevait qu'un visage, le sien. Et sa vie tout entière face à elle-même. Puis, par son souffle, tout près de la vitre, elle fit de la buée et ne se vit plus. Elle n'eut de refuge que l'intérieur d'elle-même. Et le poids du monde en elle. Et sa force à elle. Et le souvenir.

Sa mémoire, en ce moment, transforme tout le passé. Des êtres sont en procession et marchent sur la pointe des pieds. Au ralenti. Comme au cinéma. Ils courent par grandes enjambées vers leur propre quête. Ou vers elle, vers sa solitude qu'ils ont enfin comprise.

Bientôt, il y aura, entre elle et ce pays, des années d'absence. Elle le sait. Mais avant, elle revoit une image de jeune fille. Dix-huit ans. Un manteau rouge et un soir d'hiver dans un château de poète. Une image floue de campagne posée sur un chevalet. Et une toute petite phrase poétique, au bas de la toile, signée Blanche Lamontagne :
L'heure des vaches ! Le jour baisse !

Puis, Anne entend des notes de piano venant du grand salon, comme un écho lointain. Très lointain. Elle entend des bribes de mémoire. Et l'image floue lui revient encore. Elle revoit un homme vêtu d'un smoking noir. Très élégant, et avec des gestes étudiés, il dépose ses mains fines sur le clavier du *Bösendorfer*. Le son des notes la fascine. La musique. Seule la musique compte en ce moment. Elle tremble pour lui. Ses propres mains sont glacées. Elle connaît la pièce, toutes les difficultés d'exécution de la pièce, parce qu'elle la joue. Mais pas comme lui. Pas encore.

Anne voudrait toucher le piano. Toucher les notes du piano. Jouer. Jouer, pour n'entendre rien d'autre que le son des notes. Elle sent le tourment de l'artiste. Elle devine dans chaque mouvement, chaque passage, sa fougue, sa force. Sa passion folle.

Puis elle se rappelle. Le champagne pétille. Un verre froid entre ses mains glacées. Son premier verre de champagne. Sa première soirée mondaine. Elle trempe à peine ses lèvres dans le verre. Et du bout des doigts, elle essuie sur le bord de sa bouche une goutte échappée.

Les quelques religieuses, invitées pour la circonstance, l'observent. Anne le sent. Elle veut partir maintenant. Son regard croise celui d'un jeune homme, étudiant lui aussi. « Une vingtaine d'années à peine et déjà écrivain », dit-on. On ne leur parle pas. Alors, elle ne veut plus être là. Elle se rend dans le hall et demande discrètement son manteau.
— Le rouge, s'il vous plaît.

La directrice lui a donné la permission de partir quand elle le veut. Le pensionnat est à quelques minutes de marche à peine. Mais avant de sortir, elle s'approche du tableau de Blanche et relit ses mots. Et son regard se pose vers un autre dessin où l'auteure avait à nouveau pris soin d'écrire :

Déjà l'automne à perdre haleine
Et le vieux sol est engourdi.

Anne lit. Avec les yeux seulement, puis murmure le dernier vers. Elle quitte la maison de Blanche. Il neige à plein ciel. De gros flocons sur son manteau rouge. Elle enfouit les mains dans ses poches et marche lentement. Et dans sa tête, il y a un refrain : la voix de Blanche Lamontagne qui résonne à travers les notes du piano de concert.

« Je serai pianiste, se dit Anne. Je le sais. Je serai pianiste et rien d'autre. »

Maintenant, la maison de Blanche ne brillait plus. L'époque déjà était révolue. Autrefois, cette maison illuminait la falaise qu'elle dominait. Tous les soirs, pendant ses années de pensionnat, Anne était venue se réfugier dans le noir, sur le bord de la seule fenêtre du long couloir menant au dortoir. Lorsqu'elle entendait le froissement des longues jupes noires et le bruit des grains de chapelets se frôler, elle se collait au mur en cessant presque de respirer. Et là, tapie dans l'ombre, elle attendait qu'on eût passé pour se remettre à la fenêtre et regarder, dans le silence, le château de Blanche.

Et voilà, ce soir, comment son destin basculait. Une autre fenêtre et plus rien à observer. Elle avait froid. Il était tard, deux ou trois heures du matin. Elle se glissa doucement sous les couvertures, regarda sa jeune soeur dormir et finit par fermer les yeux.

Anne s'éveilla très tôt. Elle se demanda même si elle avait dormi. Elle se sentait fatiguée, épuisée. Elle mit les bras derrière sa nuque et vit sa soeur qui commençait à bouger. Tout à coup Camille se réveilla et s'assit rapidement dans le lit.

— Quelle heure est-il ?

— Six heures, répondit Anne. Tu peux dormir encore un peu.

— Je n'ai plus sommeil.

— Alors, préparons-nous tranquillement pour le petit déjeuner. Soeur Berthe a dit sept heures.

Il faisait froid dans la chambre. Elles descendirent à la cafétéria des religieuses. Ça sentait presque les petits matins de la maison.

— Venez. Venez, dit une faible voix qui arrivait des cuisines tout près. Asseyez-vous. Vous êtes chez vous. Asseyez-vous.

Elles furent les premières à s'asseoir. Les religieuses arrivèrent l'une après l'autre. La mère supérieure leur dit bonjour gentiment, fit même un câlin sur la joue de la petite soeur et s'assit au bout de la table. On entendait maintenant des murmures. Déjà ces femmes avaient des choses à se raconter.

On se tut. Toutes enfouirent leurs mains dans les larges manches de leurs robes, baissèrent la tête et se recueillirent avant de faire un grand signe de croix. Le bénédicité terminé, Camille regarda Anne l'air inquiet. Anne ne dit rien. Elle respecta le silence qui régnait dans la pièce. On entendit les cuillères plonger en même temps dans un bol de gruau épais. Anne avait toujours détesté le gruau. Mais sans rien dire, ce matin-là, elle aussi avait plongé sa cuillère dans l'épaisse céréale. Sa soeur l'avait imitée.

Les femmes s'étaient mises à parler. On s'informa de leur mère. Et enfin, on leur demanda ce qu'elles avaient l'intention de faire le soir du réveillon de Noël.

— Nous restons auprès de maman, avait vite répondu Camille.

— Vous n'allez pas passer toute la soirée et toute la nuit à l'hôpital ? Tout de même …, avait ajouté la supérieure. Vous pourriez venir réveillonner avec nous vers dix-neuf heures et retourner auprès de votre mère ensuite.

Après quelques minutes de discussion, c'était décidé. Anne et Camille réveillonneraient chez les religieuses.

La petite soeur avait souri.

10

Anne était assise dans le grand fauteuil, près du lit de sa mère qui dormait pour l'instant. Elle s'était recroquevillée et avait appuyé sa tête sur le bras du fauteuil, pour se reposer à son tour. L'impression que jamais ce cauchemar ne finirait, que jamais le bonheur ne pourrait l'atteindre un jour, la hantait.

Puis, elle avait fini par s'endormir à attendre ainsi à la lueur d'une lampe de chevet, pour ne pas déranger le sommeil de la malade. On ne distinguait jamais le jour de la nuit dans cette pièce noire. La chambre de la mort. Aucun espoir de revoir la neige. Cette toute première neige où Anne entendait leur mère dire :

« Venez voir mes enfants ! Venez voir ! Il a neigé ce matin. »

Jamais plus elle ne pourrait voir la joie dans les yeux de ses enfants. Jamais plus elle ne regarderait un premier matin d'hiver. Un de ces matins où rien n'est pareil aux autres, où la blancheur du décor redonne la pureté aux êtres, où la froidure du temps et la gelure du sol nous mènent déjà vers un ailleurs. Cet ailleurs était devenu la tempête qui dure. La nuit sans fin. Jusqu'à la mort.

Christian, encore vêtu de son sarrau blanc, était entré dans la chambre. Il s'était rendu immédiatement près de la mourante et avait pris son pouls. Il battait régulièrement encore et sa tension était assez haute. Combien de temps ce cauchemar allait-il durer ? C'était l'enfer. La souffrance devenait ainsi insupportable.

Il avait regardé Anne endormie, assise les jambes sous elle. Elle lui faisait penser à une petite fille. Si jeune ! Elle lui parut si jeune, soudain.

— Anne, avait-il dit doucement en lui touchant la main du revers de la sienne, Anne !

Anne avait sursauté.

— Pardon, je ne voulais pas t'effrayer.

— Que se passe-t-il, avait-elle demandé, c'est maman ?

— Ne t'inquiète pas, tout va bien pour le moment. L'infirmière vient dans quelques instants lui refaire une toilette et lui donner sa piqûre. Il vaudrait mieux que tu sortes.

Une infirmière et deux infirmiers étaient entrés dans la chambre. Ils s'apprêtaient à soulever la malade pour changer ses draps et la laver, quand elle hurla de douleur.

— Anne ! Anne, reste ! Reste ma petite fille. Ne les laisse pas faire.

Anne s'était retournée brusquement. Elle allait rejoindre Christian déjà sorti de la chambre.

— C'est terrible, avait dit la mère. J'ai trop mal ! Ne les laisse pas me lever, j'ai trop mal ! Anne !

Anne avait regardé sa mère. Sa tête ne se tenait plus, comme si le cou eut été brisé. Un infirmier l'avait prise par les épaules et un autre par les jambes. Ainsi, suspendue dans le vide, elle avait l'air d'un oiseau blessé, mourant.

Le cri de douleur intense de sa mère avait figé Anne sur place.

— Sortez Anne ! Sortez je vous dis ! avait repris l'infirmier.

Anne n'y arrivait pas. Ce qu'elle voyait lui faisait horreur, mais elle ne pouvait plus bouger. On avait remis sa mère dans son lit. On l'avait retournée sur le côté pour la laver. Maintenant Anne voyait une plaie purulente, indescriptible, sur la fesse de la malade. Cela ressemblait à de la pourriture.

Elle porta la main à sa bouche pour étouffer un cri.

— Ne la touchez plus, dit-elle. Plus jamais ! lança-t-elle en s'approchant du lit de sa mère. C'est fini, maman, c'est fini. Ils ne te lèveront plus, je te le promets. Plus jamais, je te le jure, plus jamais.

Elle lui prit les mains, l'embrassa à plusieurs reprises comme si elle eut été son enfant.

— Bientôt, il n'y aura plus de souffrances. Maman.

Je te le promets !

— Nous devons lui donner un calmant, Anne. Sortez quelques instants, dit doucement l'infirmier.

Il la prit par les épaules et la mena jusqu'à la porte. Sortie de la chambre, elle s'appuya contre le mur, y renversa la tête et ferma les yeux.

Christian l'aperçut de son poste et vint la rejoindre.

— Qu'est-ce que cette sale plaie ? demanda-t-elle, qu'est-ce que cela ?

— Ce sont des escarres, Anne. Ta mère en a d'autres aussi. C'est pour cette raison que l'équipe médicale voulait que tu sortes. Tu n'avais pas à voir cela.

— Mais j'ai vu, dit-elle sur un ton désespéré. Vous n'avez donc rien fait pour elle ?

— Ta mère est couchée depuis trop longtemps. On ne peut plus la bouger. Elle a aussi un cancer des os. C'est très douloureux, Anne.

— Mon Dieu, fais quelque chose ! Fais quelque chose toi ! C'est toi le médecin !

— Que veux-tu que je fasse ? Augmenter la dose de morphine ? Je ne peux pas, Anne.

— Oui, tu le peux ! Toi seul le peux !

— Non, Anne, je ne peux pas. Je n'ai pas le droit.

— Et tu as le droit de laisser ma mère mourir ainsi, à petit feu ? Tu as le droit de faire cela ? Elle meurt aussi de faim, tu l'as vue ? Elle meurt de faim. Je lui ai donné de la gelée aux fraises hier et elle l'a aimée. Tu te rends compte, elle a dit : « Mon Dieu, merci, c'est bon ». On ne la fait plus manger. Parce qu'elle est maigre, on croit qu'elle n'a pas faim. Elle est nourrie par ce sérum que tu lui fais donner. Et la morphine, ça ne nourrit pas. Tu comprends ? Dis que tu comprends au moins.

Anne sanglotait.

— Anne, je serais accusé si j'augmentais la dose des médicaments trop vite. Son coeur ne résisterait pas. Je pourrais être accusé. On pourrait dire que j'ai tué ta mère, ajouta-t-il avec hésitation.

Anne se tut. Elle n'avait plus rien à ajouter. Le personnel infirmier était maintenant sorti de la chambre. Elle n'entendait plus les gémissements de sa mère.

Huit mois de souffrance. C'était inhumain. Christian était demeuré à côté d'elle, il lui avait pris la main et la serrait dans la sienne. Très fort.

— Viens Anne. Viens, je t'emmène. Viens te reposer.

— Où cela ?

— Chez moi, quelques heures seulement. Je dois te parler. Ta mère sera plus calme maintenant.

Anne eut un faible sourire et fit signe que oui, de la tête. Avant de partir, elle embrassa sa mère et lui caressa la joue du revers de la main. Celle-ci dormait ou du moins reposait.

Elle ne résista plus au besoin de suivre Christian. Elle avait eu envie de le suivre depuis leur première rencontre sur la plage. Ils s'étaient revus souvent à l'hôpital, mais si rarement ailleurs. Quelques fois encore à l'automne, mais cela avait été si court.

Elle ne pouvait toutefois s'attarder longtemps chez Christian. Tôt en soirée, sa soeur était retournée chez les religieuses. Ces femmes étaient bonnes, mais le pensionnat demeurait le pensionnat et depuis qu'aucune étudiante n'y venait, il avait l'air plus sinistre encore qu'autrefois. Anciennement, la joie, les cris, les rires des jeunes filles mêlés à ceux des religieuses faisaient oublier les vieux murs. La musique régnait d'un bout de corridor à l'autre. C'est là qu'Anne avait appris à aimer et à connaître les grands maîtres. Là qu'elle avait rencontré son premier public. Maintenant, cette maison lui paraissait si triste.

11

Dix minutes plus tard, Anne et Christian arrivaient à la maison.

— Viens, ne reste pas figée dans l'auto à te faire geler.

Anne était demeurée assise, hésitante.

— On va parler de nous dans le village. Je suis certaine que l'on nous voit maintenant, ajouta-t-elle.

— Tu crois qu'ils ont besoin de cela pour parler de nous ?

Anne sortit de l'auto. Christian la précéda pour déverrouiller la porte de la maison qu'il avait louée, il y avait un an maintenant.

C'était une ancienne maison, très grande. Les médecins habitaient toujours les plus belles demeures du village. Celle-ci avait été construite pour un autre médecin, il y avait quelque quarante ans. Elle avait du style et un charme particulier de l'extérieur. Anne l'avait souvent remarquée.

— Allez, viens, enlève ton manteau. Je te sers quelque chose à boire ? demanda Christian tout en enlevant sa veste.

— Non, merci, s'empressa de répondre Anne, je n'ai pas soif. Je ne veux rien.

Anne buvait rarement de l'alcool, pour ne pas dire jamais. Elle regarda d'abord la décoration du salon où elle se trouvait maintenant. « Voilà à quoi ressemble une maison de médecin », pensa-t-elle.

Christian vivait seul dans ce manoir. L'ameublement était modeste mais l'architecture somptueuse. Anne avait souvent imaginé cette demeure. C'était douillet et chaleureux. « Les maisons de ville doivent avoir cet aspect », pensa-t-elle. « Qu'est-ce qui m'arrive ? Ce n'est pas moi cela. Qu'est-ce que je fais ici ? »

Christian, à l'instant, s'approcha d'elle. Elle frissonna.

— Tu trembles, dit-il.

— J'ai un peu froid, ajouta-t-elle. Ça va passer.

Et puis, il avait dit : « Je veux te parler. »

Anne pressentait toujours les choses. Elle craignait ce qu'il allait lui dire.

— Ma chouette, toi enfin ici. Chez moi, avec moi, lui dit-il en souriant.

Anne sourit à son tour. Son regard était inquiet. Elle croisa les bras pour se réchauffer. Pour se protéger.

— Assieds-toi, fais comme chez toi. Je vais faire un

feu, tu veux ?

Il avait un regard tendre. « Fais comme chez toi, pensa Anne. Je me sens si étrangère ici. Si loin de chez moi. » Elle resta debout jusqu'à ce que la flamme jaillisse dans l'âtre. Puis, elle s'approcha, étendit les mains. Elle sentit une chaleur l'envahir. Elle sentit que c'était bon soudain d'être là. Christian la regarda. Elle continua à regarder le feu comme pour éviter son regard.

— Tu ne veux rien ? demanda-t-il à nouveau.

— Non merci, dit-elle sans plus.

Christian se versa du cognac.

— Viens, assieds-toi.

— Non, pas tout de suite, je préfère être debout devant le feu, encore quelques instants. C'est si beau lorsque la flamme est haute et dense comme maintenant. Cela me rappelle la Saint-Jean.

— Tu as raison, dit Christian. Maintenant tous les feux me rappelleront la Saint-Jean. Et surtout toi. Toi d'abord.

Christian sourit à nouveau. Et puis, il dit doucement :

— Anne, regarde-moi. Regarde-moi.

Anne se retourna. Ses joues avaient rosi par le froid d'abord, puis par les flammes. Et ses yeux, ce mélange de tristesse à sa jeunesse. Elle avait une façon bien spéciale de regarder parfois. Comme maintenant. Ce regard qu'il ne pourrait oublier d'elle.

— Je n'oublierai jamais tes yeux. Ton regard. Il est si fort. Viens, viens près de moi, lui dit-il.

Anne s'approcha de Christian déjà assis par terre, face

à la cheminée.

Elle savait qu'il allait lui parler. Elle sentait que ce qu'il avait à lui dire était grave. En gardant silence, elle retardait ce moment, volontairement. Cela devenait plus difficile pour lui et elle le savait. Alors, Christian n'aborda pas tout de suite le sujet.

— Tu aimerais voir mes disques et choisir ce que tu veux entendre, demanda-t-il un peu nerveux à son tour.

Il connaissait sa passion pour la musique. En Gaspésie, les disques étaient rares. On faisait tout venir de la ville. Anne possédait quelques vieux disques usés dont les valses de Chopin et quelques autres, trois ou quatre, des concertos pour piano surtout. Le reste se limitait à de la musique populaire. Sa musique, elle se la faisait elle-même en interprétant au piano les pièces de son choix.

— J'aimerais entendre le *Concerto de Varsovie*, dit Anne après avoir jeté un coup d'oeil rapide à la collection. Je ne l'ai jamais entendu. C'était le concerto préféré de mon père. Il l'aurait beaucoup écouté en Belgique, durant la guerre, semble-t-il. Je t'en ai déjà parlé.

— Je vais le trouver, dit Christian. Je t'ai promis un jour de te le faire connaître, je me souviens. Il continua à chercher et trouva le disque.

Anne se leva pour aller s'asseoir dans un autre fauteuil. Et elle attendit. Lorsque les premières notes résonnèrent, elle ferma les yeux pour mieux imaginer son père. Quelle oeuvre ! Elle comprenait maintenant pourquoi il avait tant aimé cette pièce. Sans ouvrir les yeux, elle dit :

— C'est donc cela. Je le jouerai un jour. Je le jouerai !

— Tu joueras tout ce que tu désires un jour Anne, tout. Tu seras une grande pianiste, une grande concertiste. Tu verras, ce sera beaucoup plus facile de travailler ta musique en ville. Tu auras là-bas un vrai maître.

Anne ouvrit les yeux.

— Tu crois. Et où je prendrai l'argent ?

— Tu en trouveras, ajouta Christian, si tu veux vraiment faire carrière, tu y arriveras.

— J'aimerais te croire. Écoute. Écoute, dit-elle, comme c'est beau ! On se sent emportés par la musique ici. Tu sens cela ? Tu sens cela, répéta-t-elle ? Rien ne peut être plus beau.

— Anne, Anne, je te donnerais tout si je le pouvais.

Puis il la regarda savourer cette musique qu'elle faisait sienne. En cet instant, plus rien ne comptait pour elle, pas même lui. Elle était devenue lointaine, soudain. Elle ferma les yeux à nouveau. Elle avait les mains sur les genoux et pianotait les yeux fermés. Christian sourit. Il s'était accroupi devant elle.

— Je veux danser avec toi, dit-il.

— Danser ? dit Anne, surprise.

— Oui, danser, valser. Tu aimes la valse ?

— J'adore valser.

La valse, surtout la valse, elle l'adorait. Elle l'avait apprise d'abord avec sa mère. Et puis, un soir de Noël alors qu'elle avait dix ans, elle avait vu son père et sa mère valser. Ils étaient beaux tous les deux et ils dansaient si bien. Son père l'avait fait valser une fois. Une

seule fois. Comme elle s'était sentie grande ce soir-là !
Et son danseur s'accordait si bien à ses pas.

Christian avait maintenant déposé un second disque.
— Vous valsez avec moi, Madame Anne ?
Anne sourit. Elle n'avait plus cette tristesse de tout à
l'heure dans le regard. Elle avait oublié pour quelques
instants la mort autour d'elle. Elle venait de penser à elle.
À elle seule.

Christian la prit par la main et l'entraîna dans la valse.
Il enserra sa taille, la fit tourner et le tourbillon de la valse
entraîna Anne vers l'abandon, quelques instants. Puis la
musique s'arrêta et une seconde valse commença. Elle
aurait voulu demeurer ainsi, rêvée. Toujours.

Christian la tenait dans ses bras. Ils s'étaient arrêtés.
Seuls, comme deux poupées mécaniques. Il rapprocha
Anne de lui et l'étreignit. Doucement, il lui fit une ca-
resse sur la joue. Puis il l'embrassa.
— Anne, il faut que je te dise…
Il y eut un silence. Un terrible silence.
— Je vais partir.
— Partir ? dit Anne, essoufflée par ce qu'il venait de
dire plutôt que par la valse.
— Oui. Je retourne à Montréal. Je retourne auprès de
ma femme et de mes enfants. J'ai besoin de mes enfants.
Il y a si longtemps que je ne les ai vus. Et ils me man-
quent. Ils me réclament souvent, tu sais.
Anne demeura silencieuse. Elle avala à deux ou trois
reprises. Puis ajouta :

— Quand pars-tu ?

— Le 23 décembre.

— Demain, dit-elle, tu pars demain ! Quand reviendras-tu ?

Elle avait maintenant un sanglot dans la gorge.

— Je ne reviendrai pas. Je ne reviendrai plus. En janvier, je pars pour les États-Unis. Je vais me spécialiser en chirurgie hépatique. Je vivrai à Boston. J'en ai pour deux ans.

À son tour, Christian avait la gorge serrée, très serrée.

— Pourquoi m'as-tu amenée ici ? Pourquoi ? dit-elle désespérée.

— Je voulais te parler. Être seul avec toi pour te parler. Écoute-moi, à l'hôpital, c'est impossible. Je ne t'ai vue qu'à l'hôpital, depuis deux mois. Je voulais te revoir une dernière fois, seuls tous les deux. Tu comprends cela ? Dis-moi que tu comprends.

Anne n'écoutait plus, elle avait le coeur gros, mais elle ne pleurait pas. Elle se mordait la lèvre inférieure pour ne pas pleurer, pour ne rien laisser paraître. Elle avait mal. Il la brisait, jusqu'au fond de l'âme, comme tout le reste. C'était le dernier coup. Elle tremblait. Comme elle tremblait !

Elle se trouvait maintenant à quelques pas de lui. Le disque continuait à tourner, à valser, à l'étourdir, comme si elle allait maintenant s'évanouir, tomber dans le vide. Mourir. Christian la prit dans ses bras et l'étreignit à nouveau, très fort.

— Anne, Anne, dit-il.

— Je t'en prie, je t'en prie… laisse-moi.

Elle recula jusqu'au mur, pour s'appuyer, comme pour se protéger. Christian s'approcha d'elle.

— Comprends-moi, Anne. Comprends-moi, fais un effort ! Je te désire, je te désire tellement, murmura-t-il.

— Je dois partir, dit-elle suppliante.

Juste à côté d'elle, s'adossant au mur à son tour, il dit à voix basse :

— Va-t-en ! Va-t-en !

Un silence tomba entre eux. Christian se reprit et le rompit tout de suite.

— Mais non, je deviens fou ! Pardonne-moi.

Et il la prit à nouveau dans ses bras. Il la serra tout contre lui.

— Pardon. Pardon. Je ne sais plus ce que je dis.

Anne ne résista plus. Elle désirait cet homme à son tour, autant que lui pouvait la désirer. Elle savait cet amour impossible dès le départ. Il lui avait tout dit à propos de sa femme, de ses enfants. Il avait quitté Montréal pour venir ici faire le point. Voilà ! Le point était fait, après tous ces mois d'absence, loin de chez lui. C'était un homme de la ville, un homme de quarante ans, un médecin. Et la médecine avait pris toute la place dans sa vie, bien avant qu'il ne la rencontre, elle. Et la médecine reprendrait toute la place. Il avait choisi. Deux longues années d'études encore. Les États-Unis. Une vraie famille. Et le statut d'un homme bien. Il pouvait tout lui offrir et rien à la fois. Il pourrait seulement l'aimer, là, pour toujours et à jamais. Une seule fois. La première et la dernière de leurs deux vies.

Anne sentit la chaleur de leurs deux corps à travers ses vêtements.

— Viens, dit Christian. Viens, je veux te prendre tout de suite. Je veux te prendre complètement.

Il l'embrassa fougueusement, puis commença à la dévêtir. Anne baissa les yeux.

— Il fait trop clair, dit-elle.

Christian s'empressa d'éteindre les lampes les unes après les autres, jusqu'à ce qu'il ne reste plus que la flamme dans l'âtre. Puis, il la coucha par terre près du feu. À l'endroit même où ils s'étaient assis. Là où ils avaient dansé, là où il se souviendrait le plus d'elle.

— J'ai peur, j'ai si peur, si tu savais, dit Anne.

— Je sais, je comprends.

Non, il ne comprenait pas. Il ne pouvait pas comprendre. Elle se sentait mourir à perdre ainsi les êtres qu'elle aimait le plus au monde. Puis, elle sentit son corps brûlant l'enlacer. Elle le sentit lui, très fort, sur elle. Il la caressait. Il l'aimait. Elle avait maintenant les bras rejetés au-dessus de la tête.

— Donne-moi la main, s'il te plaît. Donne-moi la main, dit-elle.

Elle avait envie de pleurer.

Alors, ses mains d'homme enlacèrent les siennes. Il les serra amoureusement. Leurs mains se croisèrent au-dessus de sa tête à elle et se joignirent ainsi plusieurs fois. Puis, elle ne sentit plus que le poids de son corps sur elle. En elle.

Elle ne sentit plus que les mouvements de son corps à lui, réguliers.

Après quelques instants, il nc tenait plus ses mains. Alors, Anne étouffa un sanglot en mettant le poing dans sa bouche. Il la possédait entièrement, tel qu'il la voulait. Elle lui appartenait. Elle se donnait entière, tout entière.

Plus jamais ce ne serait la première fois. Plus jamais ce ne serait avec lui. Plus jamais elle ne serait dévorée par tant de passion.

Alors, elle mit les mains autour de ses reins et sentit son corps mouillé de sueur. Et dans une caresse douce, très douce, elle dit pour elle, tout bas :

— Je t'aime, je t'aime tant.

Et elle pensa : « Je mourrai donc deux fois de suite. D'abord toi et puis ma mère. »

La flamme avait baissé. Le vent silait. La tempête était commencée. Anne très vite s'était relevée. Gênée, elle avait rapidement enfilé ses vêtements laissés là, par terre.

— Que fais-tu ? demanda Christian.

— Je retourne à l'hôpital. Et ma petite soeur, tu y as pensé ? Elle est seule et ma mère aussi. Qu'est-ce que j'ai fait mon Dieu, qu'est-ce que j'ai fait ?

— Tu n'as rien fait de mal Anne, crois-moi. Ne pars pas ainsi. Attends ! Je m'habille et je vais te reconduire. Nous parlerons, avant.

Anne avait à nouveau ce regard suppliant. C'est donc la dernière image qu'il aurait d'elle.

— Non, je veux rentrer seule. C'est mieux. Ne viens pas.

Christian s'était à son tour habillé. Jamais il ne s'était

vêtu aussi vite. Il en fit même la remarque. Anne allait partir.

Elle s'arrêta devant lui. Il était maintenant assis sur le grand sofa, en retrait de la cheminée. Elle avait mis son manteau, ses bottes, son foulard. Seuls étaient nus ses mains et son visage. Elle le regardait. Elle le suppliait du regard.

— Dis-moi quelque chose de beau avant mon départ, Christian.

Et elle répéta :

— Dis-moi quelque chose de beau, s'il te plaît.

Christian était défait à son tour, assis, le dos courbé, les mains jointes entre ses jambes entrouvertes. Il avait seulement levé la tête vers elle.

— Tu es une femme merveilleuse Anne, douce, très douce, sensible.

Puis hésitant, il avait ajouté :

— Fragile aussi… mais forte. Si forte. Personne ne pourra jamais te briser. Tu iras loin, tu verras. Tu n'as besoin ni de moi, ni de personne pour cela.

— Tu m'oublieras ? Elle s'arrêta de parler, puis ajouta : Christian ?

— Comment t'oublier, toi, tes yeux. Toi tout entière. Anne, Anne ajouta-t-il, comme pour la retenir encore quelques instants.

— J'aimerais… j'aimerais…, dit-elle doucement.

— Oui, reprit-il, hâtif.

— J'aimerais que tu me prennes dans tes bras une dernière fois.

Christian se leva lentement. Puis il effleura ses épaules comme il l'avait fait la première fois sur le bord de la rivière, derrière chez elle. Ensuite, il effleura sa bouche, comme si tout à coup elle eut été irréelle. Comme si tous les deux, ils n'avaient existé que dans leurs rêves. Il aurait voulu la serrer dans ses bras. La garder. Toujours. Mourir en ce moment même avec elle. Pour elle. Mais il arrivait à peine à la toucher.

Anne le regarda comme pour graver à jamais le visage de cet homme dans sa mémoire. Elle toucha ses lèvres du bout des doigts, en dessina le contour, lui frôla la joue d'une caresse puis, ne fit plus rien pour rendre la séparation plus difficile.

Vite, elle se retourna et sortit.

Elle courait dans la neige. Elle ne savait plus si l'eau sur ses joues était de la neige ou des larmes. Elle crut entendre crier derrière elle. Elle ne se retourna pas. Jamais, plus jamais, elle ne le reverrait.

Christian avait crié. Elle ne saurait pas si c'était lui, la tempête ou son imagination.

Il avait ouvert la porte qu'elle venait de refermer sur lui quelques instants auparavant et il avait couru jusqu'à la rue pour crier : « Je t'aime Anne ! Je t'aime ». Et tout bas, il avait murmuré en sanglotant : « Anne ! Anne ! Tu seras à jamais l'unique femme de ma vie. Jusqu'à la fin de ma vie. Et je ne lui ai même pas dit combien je l'aime. »

Il rentra, jeta un regard vers la cheminée où il ne restait plus que des braises et il se coucha par terre en rond, comme un chien. Là, il pleura comme il ne l'avait fait depuis longtemps.

Anne gravit les marches de l'hôpital deux par deux. Elle croisa dans le hall un infirmier qui la salua sans qu'elle ne réponde. Elle enleva son manteau à la porte de la chambre de sa mère, pour ne pas refroidir la pièce et la malade.

Puis, s'approchant du lit sur la pointe des pieds, elle vit que sa mère dormait. Alors immédiatement, elle s'enferma dans la petite salle de bain adjacente à la chambre. Elle s'aspergea le visage d'eau froide à plusieurs reprises. Et, n'y tenant plus, coucha sa tête sur son bras sur le lavabo, se laissa glisser par terre et pleura jusqu'à en gémir.

Elle hurla en silence en relevant la tête et le poing :
« Dieu ! Dieu, qui es-tu ? Tu m'entends, Dieu ? Aide-moi ! Aide-moi ! »

12

Le 24 décembre au matin, Anne s'était renduc à l'hôpital plus tôt qu'à l'habitude. Sa soeur, demeurée au pensionnat, ferait des biscuits avec la cuisinière toute la matinée.

Maintenant, Anne observait sa mère endormie. Par moments, elle gémissait dans son sommeil. Si sommeil il y avait. Comment savoir ? Puis tout redevenait plus calme.

Anne s'assit et jeta un coup d'oeil vers les lettres qu'on lui avait remises à son arrivée. « Toutes des cartes de voeux, pensa-t-elle. Les derniers voeux à une vivante. » Elle n'ouvrit rien.

Elle portait la mort en elle. Avec elle. Elle voyait la mort. Et le chagrin tuait son âme.

« Christian, murmura-t-elle. Christian. » L'appel était inutile. « Nous n'aurons jamais eu une journée entière. Pourtant, il aura suffi d'un seul vertige pour que je tangue. »

L'attente était inutile. Leurs deux vies se retrouvaient de chaque côté du monde. Et son âme se serrait contre elle-même. Si fort et si seule. « Suis-je morte ou vivante ? Ses yeux sur moi. Je me le rappelle. Comme je me le rappelle. Et mes mains liées aux siennes. Sommes-nous hier ou demain ? »

Et la naissance avait été si pure. Encore hier, elle s'était blottie contre son visage. Elle avait mis ses bras autour de son cou et il l'avait enlacée une dernière fois. La tendresse avait traversé leur âme et les avait étreints tous les deux au même moment. Comment revenir à la réalité du monde maintenant que demain était déjà là ?

« Je ne veux pas mourir dans nos mémoires, mais je ne sens plus que le poids du monde soudain. » Et elle murmura : « la vie ». Elle regarda sa mère mourante et ajouta tout bas, très bas : « et l'autre vie ». Inlassablement.

« Nous étions comme des saisons. Égarés à travers le silence. Le sacrifice des morts sera-t-il vain ? Reste l'éternité à venir. J'ai couché ma joue contre la sienne. Contre le rêve. J'ai égaré mes mots contre son visage, contre son souffle. J'ai marché tout contre lui, contre l'aube de nos désirs refoulés. J'ai marché tout contre nos destins. Je ne

suis plus qu'un fil qui retient la terre au ciel. Femme ?
Mère ? Ou enfant ?

Il y avait nos doigts enlacés jusqu'au serment. Et tout
s'est figé comme sur une pierre tombale. »

13

Cette veille de Noël, ni Anne ni Camille ne pourraient l'oublier. La salle commune des religieuses leur avait été ouverte.

Anne se souvenait du temps du pensionnat où les étudiantes essayaient d'y pénétrer. Quel secret se cachait derrière ces murs ?

Une dizaine de chaises installées en rond, afin que toutes soient face à face, était le principal décor de la pièce. Un éclairage trop intense empêchait le sapin de Noël de briller. Il était garni de quelques guirlandes usées par le temps, de biscuits étoilés vernis, de clochettes et de faux glaçons. Au centre de la grande pièce, sur une table ancienne, ronde et basse, on avait déposé, pour chacune, un cadeau emballé dans du papier ordinaire.

La remise des étrennes s'était faite bien avant minuit,
vers dix-neuf heures, à travers des cris de joie et des rires.
Anne et sa soeur étaient silencieuses. À leur cou pendait
une écharpe tricotée à la main.

Ce soir-là, pour la première fois de sa vie, Anne com-
prit ce que voulait dire le mot orpheline.

14

Anne est épouvantée par la douleur. L'affreuse douleur malade de vivre. Encore. Elle a peur de la mort qui
vient. Elle a peur pour sa mère. Et pour elle aussi. Bientôt, ce sera l'étranglement dans l'entonnoir de la vie.

« Je suis là, maman. Je suis là … »

Anne sent les mots se briser dans sa gorge. Sa voix la
quitte peu à peu. Les mots qu'elle voudrait dire, ceux qui
consolent, ceux qui aiment, elle n'arrive plus à les pro-
noncer. C'est à cause de l'entonnoir de la mort cette fois.

Cela se passe au petit jour. Six heures trente. Comme
elles ont peur toutes les deux. Mais peut-être un peu moins
que dans la pénombre de la nuit.

Sur le mur, des silhouettes de robes noires, de rosaires se dessinent. Les religieuses prient. À haute voix. Elles implorent Dieu.

« Taisez-vous, crie Anne, au-dedans d'elle-même. Vous ne voyez donc pas qu'elle meurt. Taisez-vous ! Dieu entend le silence. Et ma mère par vous entend la mort. Vous lui hurlez la mort qui vient, qui la prend. Mais taisez-vous donc ! Dieu aime aussi le silence. »

Tout se tait soudain.

Sa main jusqu'à la fin aura serré la sienne. Mais non. C'était plutôt Anne qui étreignait la main de sa mère. Elle ne savait pas, à ce moment même, qu'elle devenait la mère de sa propre mère.

Elle avait caressé cette main blanche, transparente comme du papier de soie, jusqu'au dernier instant. Il n'y eut pas de lutte. Plus de souffrance.

« C'est doux la mort soudain, avait pensé Anne. C'est comme une naissance, une façon de percer le col, pour atteindre la lumière. »

15

Comme c'est idiot. Le paysage était brouillé de neige fondante. De larmes. La main d'Anne se crispait sur celle de sa petite soeur. Les religieuses avaient tout préparé. Les valises étaient déjà dans le grand portail, à l'entrée principale du pensionnat, lorsqu'elles arrivèrent de l'hôpital.

L'oncle attendait dans la voiture
— On retourne chez nous, dit Camille.
« On avance dans la tempête qui commence », pensa Anne.

Puis l'oncle vint chercher les valises.
— Mieux vaut partir tout de suite, les petites filles, si on veut arriver. La tempête est terrible. Dans une couple

d'heures, la route sera fermée.

Anne avait jeté un dernier regard vers quatre femmes debout devant elle. Ces mères, ces soeurs.

— Merci, dit Anne.

Elle ne savait plus quoi dire tout à coup. Sans ces femmes, elle serait morte peut-être. Elle n'aurait pu survivre à tout cela. Les mots ne lui venaient pas. Soudain, la plus jeune religieuse, dix-neuf ans à peine, courut vers Anne et l'embrassa.

— Je ne t'oublierai jamais, Anne. Jamais. Ni toi, ni ta soeur, ni votre mère.

Elle pleurait.

— Tu reviendras aussi souvent que tu le désires. Tu es chez toi ici. Tu reviendras, Anne ?

Anne la regarda, puis essuya les larmes de la jeune femme.

— Je vous aime. Toutes. Et les mots s'étranglèrent dans sa gorge à nouveau. Comment vous rendre tout ce que vous avez fait pour nous ? Je ne pourrai jamais vous rendre cela.

— Tu n'as rien à rendre, Anne, vint soudain interrompre une voix plus forte, plus âgée.

Anne tourna son regard vers cette femme, cette mère supérieure qu'elle ne pourrait oublier. Elle voulut se diriger vers elle, mais déjà la femme avait tourné le dos et s'éloignait, en murmurant, émue :

— Vous reviendrez mes petites filles, aussi souvent que vous le désirez. Nous prierons pour vous.

Anne avait le coeur gros. Elle n'arrivait plus à articuler. Elle ne savait pas encore que plus jamais elle ne reviendrait vers cette maison. Plus jamais elle ne retournerait en arrière.

Pendant des années à venir, elle occupera sa vie à vider son âme du passé.

« Je suis une autre qui vient de naître ce matin, pensa-t-elle. Nous sommes le 13 janvier 1970. »

16

Vêtue d'une robe de crêpe noir au col et poignets blancs, Anne se tenait debout, face au cercueil ouvert.

Elle était comme une petite fille qui arrive dans le monde. Son âme d'enfant ne l'abandonnait pas. Elle sentait la poursuite infernale de la jeunesse en elle. Sa folle jeunesse. À elle. À jamais brisée, écrasée, perdue.

Qui est-elle ?

« Tu es grande, Anne, maintenant. »

C'est l'écho. Les voix de son père et de sa mère qui se croisent en elle.

Oui. Elle fait oui d'un signe de tête à cette mère couchée, là. « Maman ». Elle sanglote. Elle pleure. Elle veut qu'on lui laisse son enfance. Encore. Quelques jours. Quelques heures. Seulement.

On l'enlève. On la prend avec tout son être, son âme. On la place en haut de la pyramide de la vie. Comme une vierge. On la déchire. On l'immole. On la tue. Elle n'existe plus dans son corps. Elle est ailleurs. Dédoublée à jamais quelque part à travers l'enfance.

Celle qu'on ne berce plus. Celle qui donne sans prendre. Celle qui aime sans retour. Celle qui délire de douleur sans qu'on sache. Celle qui crie : « J'ai mal », et qu'on étouffe à grands coups de bruits et de rires qui défoncent la douleur.

La vie à jamais se tait avec la petite fille.

La femme-petite-fille.

Des cierges fumaient de chaque côté du cercueil. Le petit salon était rempli de fleurs, de couronnes mortuaires.

Elle avait dit : « Pas de fleurs mortuaires. »

Elle avait dit : « Le cercueil fermé. »

« J'avais promis. C'est un viol, pensa Anne. C'est un viol. Fermez ce cercueil. S'il vous plaît. S'il vous plaît. »

Ses jambes tremblaient et faisaient claquer ses genoux. Elle ne pouvait plus retenir ce frisson qui la parcourait tout entière.

— Fermez ce couvercle, dit-elle d'une voix presque éteinte.

Personne ne bougea.

— C'est à nous de décider, dit la grand-tante, la vieille grand-tante. À nous. Ce cercueil restera ouvert. C'est ce qu'aurait voulu ta grand-mère, je pense. Alors, aujourd'hui je la remplace. Et tes oncles et tes tantes et tous les parents ont le droit de voir celle qu'ils ont tant aimée. Et ses amis aussi qui viendront. Toi, ma petite fille, il faudra que tu apprennes à te maîtriser un peu. Tu as encore beaucoup à apprendre de la vie. Beaucoup.

Anne ne lutta plus. C'était inutile. Elle le savait. Elle s'enferma dans sa chambre. Elle ne pouvait plus supporter ce spectacle. Elle éprouvait soudain, au fond d'elle-même, une honte terrible. Cette femme, couchée dans ce satin blanc, n'était pas sa mère.

« Maman », murmura-t-elle dans un silence qu'elle seule pouvait entendre. « Maman, dit-elle cette fois à voix basse, ne vois-tu pas que je meurs avec toi ? Aide-moi à vivre maintenant. »

17

On entendit trois fois réciter « Je vous salue Marie pleine de grâces ... » et un murmure derrière « Sainte-Marie Mère de Dieu ... », réplique mâchée, bafouillée. Anne se tenait près du cercueil avec sa jeune soeur. Elle ne priait pas. On la regardait. Elle le savait. Elle ne priait quand même pas. Elle refusait de se mêler à ces gens. Sa prière à elle était différente. Elle n'avait pas à l'afficher. Bientôt ce cauchemar prendrait fin. Bientôt.

L'église s'était remplie malgré la tempête qui rageait depuis la veille. L'organiste habituel n'avait pu s'y rendre à cause de la poudrerie et de la route mal déblayée. Cinq bons kilomètres séparaient les deux villages. Un arrière-cousin, piètre musicien, exercerait donc le rôle d'organiste pour la circonstance. La chorale aussi serait absente. Personne ne chanterait. Ou plutôt si. Au dernier moment, une religieuse, à la voix faible, fatiguée, avait accepté de tenir ce rôle pour Anne et sa sœur.

Dès le début de la cérémonie, Anne se réfugia en elle-même et se fit sa propre musique. Elle aurait voulu jouer pour sa mère. Du Liszt, du Chopin, comme cette dernière les aimait. Jouer encore pour elle. Cela ne se faisait pas. Qui avait bien pu instituer tous ces rites ? Anne était femme à briser toutes ces barrières. Pourtant, cette fois, pour une fois, elle n'en fit rien. Par respect pour cette femme, là, couchée, qu'elle adorerait toute sa vie, elle n'en fit rien.

Ainsi, à l'avant, elle avait plutôt l'impression de participer à une pièce de théâtre. Elle composa donc son propre scénario. Et dans sa tête changea tout le décor et les costumes.

Elle vit soudain sa mère vêtue d'une robe de noces de soie blanche et d'un long voile de tulle posé sur sa tête et retenu par une couronne de fleurs d'orangers. Et, toujours dans sa pensée, elle vit le missel à tranche dorée, à reliure de cuir blanc duquel pendait un long ruban de satin attachant une rose posée sur le précieux livre qu'elle tenait sur ses mains jointes et frêles gantées de chevreau, tout aussi blanc. Et son père, juste à côté, un gardénia à la boutonnière et ses souliers de cuir vernis noir, impeccablement cirés et frottés. Elle le voyait même clairement pousser de sa langue un peu de salive, en jet, sur son soulier qu'il tenait d'une main et le chamois de l'autre, pour faire reluire ses souliers de noces, ce matin-là.

Ce n'était pas funèbre ce qu'Anne entendait maintenant. C'était la marche nuptiale. Ils allaient à la rencontre l'un de l'autre. Comment pleurer en ces moments où le bonheur est si grand et la lumière si intense !

La musique s'arrêta net. Le prêtre prononça une courte homélie, parla des orphelines. Pas une seule fois Anne ne baissa la tête. Pas une seule fois. Elle détestait ce mot. Elle le haïrait toujours.

La fin de la messe approchait. Anne prit la main de Camille et la serra, sans la regarder. « Ma petite soeur, pensa-t-elle. Ma petite soeur. Je t'aime. Je t'aime, toi. » Et elle sentit son menton trembler et ses yeux s'embuer. Ce n'était pas là des larmes pour la mort, mais des larmes pour l'amour. Pour la vie.

L'allée lui sembla longue. Jamais spectacle ne sera plus difficile à supporter. Jamais public ne pourra être plus sévère. Alors, Anne se réfugia dans une dignité où l'apparence surmonterait la misère. Son petit manteau de drap noir qu'elle avait fait teindre, dès l'automne, et sur lequel elle avait posé un col et des poignets de mouton de Perse noir, renforçait chez elle cette dignité.

Elle serra à nouveau la main de sa soeur et toutes deux prirent la tête du cortège. De chaque côté, comme sur un podium, les gens étaient surélevés et les surplombaient.

Au cimetière, malgré la tempête et la neige, Anne gratta un peu le sol avec sa main dégantée et prit une poignée de terre froide près de la fosse. Elle la tint quelques instants bien serrée et la rapprocha de sa poitrine. Sa soeur l'imita. Alors, elle se jura en elle-même que plus jamais elle n'accepterait une telle souffrance. Plus jamais. Puis, elle entrouvrit sa main et la terre s'égrena en un bruit sourd sur le bois vernis du cercueil mouillé par la neige. On descendit le corps jusqu'au fond du trou. Les chaînes grinçaient à chaque petit coup. Là, Anne eut mal. Très mal. Elle grimaça. Personne ne put voir. Il ventait trop. Il neigeait trop.

18

Tina avait déjà lavé presque tous les planchers, lorsqu'Anne et sa soeur rentrèrent chez elles. Cette femme
n'allait jamais aux funérailles. Elle en était incapable.
Pourtant, elle avait adoré leur mère. Alors, Anne lui avait
demandé son aide.

— Je te paierai, lui avait dit Anne. Je te paierai, Tina.

— Jamais de la vie, avait répondu la femme. Je n'ac-
cepterai pas. J'aimais trop votre mère.

Mais Anne paierait. Elle paierait ! Elle n'allait rien
devoir à personne.

— Ça pue la mort, avait dit Anne en pénétrant dans le
salon. Ça pue les fleurs de la mort. Je me demande si
cette odeur partira un jour. Celle-là et celle de l'urine
d'hommes venus ici se gargariser de leurs histoires in-

ventées, et sales, pendant trois jours.

Le soir tombait. Tina était repartie avec ses vingt dollars et un peu de nourriture qui restait des veillées mortuaires.

Après la cérémonie, personne n'était venu. Anne et sa soeur étaient maintenant seules. Elles n'avaient pas faim. Ni l'une, ni l'autre n'osait le dire. La vraie vie reprenait son cours. Et la solitude s'installait.

— Nous partirons, dit Anne. Je te le promets, nous partirons d'ici. Nous serons heureuses, tu verras. Nous serons heureuses Camille.

La jeune fille sourit tristement.

— Cela commence aujourd'hui, ajouta Anne.

— Je peux faire un gâteau au chocolat ? demanda Camille.

— Oui, deux si tu veux. Et on les mangera avant qu'ils ne soient cuits. Comme on a toujours rêvé de le faire. On mangera la pâte pas cuite.

Elles se mirent à rire, sans rien ajouter. Deux petites filles devant les gâteaux au chocolat. Deux petites filles tristes blotties l'une contre l'autre. L'hiver serait long.

19

Anne avait soulevé machinalement le rideau de fenêtre de la cuisine et regardait dehors. Février avait été plus froid que jamais. La tempête n'avait pas diminué depuis la veille. Elle distinguait à peine la maison du voisin à travers la rafale de neige. Et dans sa main gauche, elle tenait une lettre qu'elle récitait maintenant par coeur pour l'avoir lue et relue des dizaines de fois, depuis une semaine.

Une belle et longue lettre, de lui, qu'elle n'attendait plus. Christian lui avait écrit de Boston. Elle profitait de chaque moment de solitude et relisait sans cesse ses mots qui lui parlaient de la froidure du temps, de la grisaille qui s'esclaffait chaque jour sur sa vitre, de la feuille morte qu'il avait imaginée rouler sur la croûte gelée en lui écrivant. De la feuille emportée par la poudrerie. Esseulée. Décrochée du vieux chêne où elle s'était agrippée pour l'hiver. Il lui décrivait le soleil qui perçait à peine le jour par tant de froid.

Puis, Anne entendit soudain, à travers ses mots, les notes de Liszt courir derrière les feuilles les accompagnant dans leur dernier voyage, tel le pèlerinage du célèbre maître.

Quel beau poème il lui écrivait ce matin-là ! Il lui disait trouver l'hiver long, très long sans elle. Il ajoutait aussi, qu'une fois de plus cette saison lui semblera éternelle. Et enfin, il lui parlait d'eux. De l'étreinte, la douce étreinte qui les liait encore. Et toujours. Il lui parlait aussi de ce qui n'existe pas, du rêve, de l'impossible. Il lui racontait les moments passés ensemble qui ont toujours été beaux, très beaux, comme volés. Il lui disait ne rien savoir d'elle, et elle rien de lui, que tout était encore le commencement. Il lui disait aussi, par son long silence, avoir laissé au temps l'oubli des mots pour ne plus avoir qu'à les écrire à nouveau.

Il frôlait son âme ce jour-là, par ce pont si fragile qui les séparait. Et il l'aimait. Et il la prenait tout contre lui avec tant de tendresse, qu'elle pleura l'absence.

Puis, Anne se reprit. C'était dimanche, cela ne pouvait plus durer. Elle n'allait pas se laisser détruire ainsi. Ce n'était certes pas ce que sa mère aurait voulu d'elle. Christian était loin, très loin. Quelque part sur la côte est américaine, dans une ville qu'elle ne connaissait pas, qu'elle ne pouvait même pas imaginer.

« Il ne mérite pas toutes ces larmes », pensa-t-elle. Il l'avait laissée seule dans la tempête un soir de décembre, sans donner signe de vie depuis son départ. Il avait sûrement appris la mort de sa mère. Il avait dû s'informer tout de même. Peut-être que non. Il était médecin et la mort, il la côtoyait tous les jours. Alors, elle avait dû lui devenir indifférente.

« Mais c'était ma mère, pensa Anne. Il ne m'a jamais aimée. Cet homme ne m'a jamais aimée. C'est fini maintenant. Je le jure. Aucun autre être sur terre ne me fera autant de mal. Bientôt, ce sera le printemps. Tout changera. Tout. Je partirai. Il y aura la ville. La vie.

Je veux laver ma vie de ce pays de mer et de mort. Je veux laver ma vie du silence. De ton nom. Je me tue de toi. J'enfouis mes mains dans le ciel pour garder l'espérance et ne pas sombrer. Je ne comprends plus ni la naissance, ni la mort. Où est mon destin ? Comment le découvrir à travers cette tempête de neige qui poudre tout jusqu'au lendemain matin et nous laisse sans trace. C'est un chemin d'épouvante que j'aperçois. Je suis liée à mes morts. À jamais ils tiennent mes mains.

Ma petite soeur, nous avons le coeur défait. Nous sommes parées de blessures si profondes. Jusqu'à la brûlure, jusqu'aux os. Les flots débordent les quais de leurs vagues si hautes. Et malgré tout, l'aurore est déjà debout.

Mon amour. Si loin, si loin. Ma vie. Ma mort.

La neige, la belle neige de mon enfance qui se gonflait, s'étalait, la neige et son magicien rouge, et sa cheminée, ont disparu.

Nous sommes si fatiguées les petites filles du bord de l'eau. Comme c'était doux soulever les pierres dans le courant de la rivière. Comme c'était doux nos pieds mouillés, ensablés, dévorés de soleil. Et nos éclats de rire. Hier. Derrière le jour. Et la nuit. Et l'autre jour. Loin, très loin dans la mémoire. Déjà. »

Sa main était très serrée. Son poing s'était refermé sur la lettre chiffonnée. Alors, elle se dirigea vers la grande armoire de la cuisine, prit la petite boîte de métal contenant les allumettes, en fit flamber une et brûla la lettre.

À partir de ce dimanche, Anne avait essayé d'apaiser ce feu qui brûlait en elle. Elle avait rejoint Camille endormie sur le sofa du salon et s'était assise près d'elle. Tout près. Elle avait fermé les yeux et s'était efforcée de ne plus penser. À rien.

20

L'hiver s'était écoulé enfin. Et ce fut Pâques. Anne avait reçu deux autres lettres de Christian. Elle n'avait répondu à aucune. Il vivait là-bas avec toute sa famille. Sa femme l'avait rejoint.

« C'était probablement une femme de la ville. Uniquement de la ville, pensait souvent Anne. Elle n'aurait pas pu vivre ici. Comment y arriver sans y être né ? »

Puis il l'avait suppliée de lui répondre, d'adresser sa lettre à l'hôpital où il travaillait. De lui faire signe. De lui pardonner.

Anne était demeurée silencieuse. Il voulait donc tout. Sa femme, sa famille, et elle. Elle si loin. Et qu'en ferait-il après ?

Cette nuit-là, elle s'endormit difficilement. Puis, elle fit un songe. Toujours le même. Il y avait une longue route et devant elle, juste une traînée blanche. Très blanche. Pas de nuages. Mais la solitude, une infinie solitude de froidure qui s'étendait dans tout son être. Elle savait qu'elle s'endormirait bientôt. Elle ne voyait plus qu'une ombre, devant, sur la neige. L'ombre la précédait de ses pas, de ses ans. Anne n'arrivait pas à la suivre. Et, doucement, l'ombre s'effaçait. Tout cet amoncellement de neige qui craquait sous ses pas fondait. Il y avait le printemps, puis l'été et puis toutes les saisons qui se chevauchaient tour à tour, jusqu'à ce qu'il n'en reste plus qu'une, l'hiver. Tout devenait si court, soudain. Il n'y avait plus de temps Plus de sommeil facile. Elle avait froid. Si froid. Elle voulait que l'on prenne sa main. Que l'on tienne sa main. Trop tard. Le sommeil l'emmenait sans qu'elle ait pu toucher l'ombre une dernière fois.

Anne se réveilla. Son corps était en sueur. Elle enleva sa chemise de nuit et demeura assise un moment dans son lit. Puis, elle s'essuya le visage et se recoucha, sans pouvoir se rendormir avant l'aube.

21

Depuis quelques jours, Anne voyait venir le printemps. Un bon matin, elle ouvrit grand la porte du solarium et s'y tint debout à respirer l'air frais. À pleins poumons. « Enfin la vie, se dit-elle. Que c'est beau quand tout renaît. C'est tellement beau. Jamais je n'ai aimé autant le printemps. Jamais, aussi, je ne l'ai tant espéré. »

— Maintenant, cria-t-elle, en gravissant deux par deux les marches de l'escalier menant à leurs chambres, Camille, c'est le printemps ! Enfin !

Et elle leva la toile pour laisser entrer la pleine lumière dans la pièce et ouvrit la fenêtre.

— Tu es folle, Anne. Je dors encore, moi.

— Non. Écoute ! Écoute ! Tu n'entends rien ? Entends comme c'est doux. Comme lorsque maman venait nous réveiller ce premier matin.

— J'entends les corneilles. Et aussi la rivière qui coule.
Elle sourit et mit les couvertures sur sa tête.

— Et la glace qui craque et se fend. Et l'eau qui la
pousse. Et bientôt, nous partirons. Tu verras, dans quelques semaines, tout sera fondu.

Anne avait dit tous ces mots dans une excitation qui
ne lui était plus familière.

Quelques jours après, ce fut sur le bord de la mer
qu'elle put aller marcher. Toutes les glaces avaient pris le
large. Des gens cueillaient des moules et des bigorneaux.
Ils en remplissaient des seaux et des seaux. Anne les regarda un moment, puis préféra s'éloigner et marcher seule.
Elle se rendit jusqu'au bout de l'anse. Ce fut sa promenade du dimanche.

En rentrant, elle raya un jour de plus sur le calendrier
et compta combien de fins de semaine il lui restait à ar-
penter le bord de la mer, main dans la main avec la solitude.

Puis, vint le jour où elle biffa le dernier samedi. L'été
s'était presque complètement écoulé. Anne sortit plus tôt,
beaucoup plus tôt que d'habitude, ce matin de la mi-août.
Elle voulut être la première sur la grève. Mais les pêcheurs l'avaient encore devancée. Elle s'approcha d'eux.

— T'es matinale, Anne. Cinq heures, lui dit l'un d'entre eux.

Anne leur sourit. Sans rien dire, elle les regarda préparer leurs agrès de pêche. Puis elle entendit le bruit du moteur de la vieille barge ronronner. Et enfin, elle vit les pêcheurs s'éloigner de la rive.

Elle envoya la main. C'était son dernier matin. Elle seule savait que plus jamais elle ne vivrait cet instant, beau comme la mer d'huile qu'il y avait ce jour-là. Beau surtout parce que c'était un dernier instant.

Elle enleva ses sandales et marcha pieds nus dans les vagues froides. À quelques reprises elle se pencha pour ramasser des morceaux de verre polis par la mer.

« Les pierres précieuses de mon enfance, pensa-t-elle. Mes émeraudes. »

Elle les mit dans le creux de sa main. Et les enfouit dans une poche. Juste pour le souvenir.

Elle leva la tête et regarda le fou. Le grand fou de Bassan qui dansait sa solitude au-dessus des vagues froides. Il plongeait de toute sa fale blanche, refaisait surface et replongeait. Puis revenait marcher tout près d'Anne à l'odeur de la marée basse.

« Tu peux hurler, le fou. Hurle ta peine ! Et trace du bout de ton aile des mots sur le sable, demain lavés par la mer.

Je reviendrai, le fou. Un jour, je reviendrai. Libre. Libre. Comme toi ! »

Puis elle s'éloigna de la mer et marcha sur le sable à travers les blés sauvages qui bougeaient tous du même côté. Comme des archets jouant une symphonie, ils se laissaient diriger par le vent.

Anne se pencha, en cueillit une gerbe à laquelle elle ajouta des fleurs à bourdons. Ainsi la vesce bleutée, tout aussi sauvage, mêlée au blé, donnait l'illusion d'un grand bouquet de fleuriste. Elle étira son bras, le regarda, pencha un peu la tête et sembla satisfaite. Elle arracha encore quelques grands foins de mer et lia tout cela.

C'était pour sa dernière visite. Elle se rendrait au cimetière. Elle n'avait pas osé imposer cela à sa soeur. Puis, elle avait voulu être seule.

Doucement, elle s'était approchée du tombeau où maintenant deux noms étaient gravés. Sa main avait glissé sur la pierre froide et ses doigts sous les noms. Les fleurs déposées, elle était retournée à l'entrée du cimetière pour ramasser un gros caillou repéré à son arrivée. Elle l'avait appuyé contre la gerbe, afin qu'elle demeure là où elle l'avait voulu. Il ventait toujours sur la falaise face à la mer.

Ce matin-là, Anne ne rendit visite à personne. Tous les adieux avaient été faits la veille. Elle rejoignit sa soeur et ensemble elles terminèrent les derniers préparatifs, avant leur départ pour la ville.

Vers midi, il ne leur restait plus qu'à attendre l'arrivée des déménageurs.

— Je descends à la rivière quelques secondes. Tu viens ?

— Non. Je suis fatiguée, dit Camille. Je reste ici. Je t'appellerai d'en haut s'ils arrivent.

Anne s'était assise sur la minuscule plage de sable fin. Les genoux relevés sous sa gorge, elle fixait la rivière et l'écoutait chanter.

« Sans la rivière, cela ne se serait pas appelé chez nous », pensa-t-elle.

Elle se revit, l'espace d'un instant, à l'âge de douze ans. Elle enlevait ses souliers et se glissait dans l'eau froide jusqu'aux cuisses et traversait de l'autre côté de la rive en relevant sa jupe. L'attrait avait été trop grand encore une fois. Elle avait aussi entraîné sa petite soeur qui, elle, en avait jusque sous les bras. Puis, en rentrant, toutes deux s'entendaient dire par leur mère :

« Vous avez encore traversé la rivière dans l'eau. »

Alors, elles se précipitaient dans leur chambre et là, riaient comme deux folles en se lançant sur leur lit. Elles s'arrêtaient net en pensant à l'édredon blanc, brodé, qu'il ne fallait surtout pas froisser.

Anne pencha la tête, toucha son front avec ses genoux. Elle écouta l'eau, le vent dans les grands peupliers, les oiseaux. Sa pensée se dirigea soudain vers le petit appartement qu'elle avait choisi en ville, un mois auparavant. Deux pièces et demie dans un demi sous-sol. Elle releva la tête, chassa cette pensée et allongea les jambes.

« Je dois remonter, se dit-elle. C'est inutile tout cela. Là-bas il n'y aura pas de rivière tout près, mais il y aura tout. Tout le reste. Et ma musique. »

À seize heures, elles avaient jeté un dernier regard

vers leur maison. Elles n'emportaient que l'essentiel.

— Nous reviendrons, avait dit Anne à sa soeur. Ne t'inquiète pas. Tous les étés, nous reviendrons.

Quand elles arrivèrent à Québec, ce soir-là, il pleuvait. Anne aurait voulu qu'il en soit autrement pour Camille. Elles étaient exténuées. Un taxi les avait amenées de la gare à leur appartement. La petite soeur baillait. « Voilà notre nouvelle vie, pensa Anne. C'est ici que tout commence. »

Il n'y avait plus le père. Il n'y avait plus la mère. Il n'y avait que l'enfance endormie dans une robe d'images.

22

Comme ce premier petit matin en ville lui sembla bref. Anne avait trop à faire pour s'inquiéter de la langueur du temps. Il n'y eut pas de place pour la nostalgie. Les jours suivants, son corps commença à lui paraître moins éclaté, son âme moins écorchée.

Anne se regardait comme si elle eut été une autre. Comme si son histoire eut été celle d'une autre. Jusqu'au jour où elle sentit que la nuit n'habitait plus le jour. La lumière la traversait enfin. Sans larmes.

Le soir, au crépuscule, à cause de la si petite fenêtre du demi-sous-sol, elle ne voyait jamais le ciel se coucher sur la ville au loin.

Alors, elle sortait sur le palier et s'imaginait le coucher de soleil sur la mer, pendant que celui-ci frappait les vitres des premiers gratte-ciel de la haute-ville. Et quand le ciel s'était complètement penché sur la ville, jusqu'à la pénombre, Anne rentrait.

Toujours Camille lui demandait :

— Qu'est-ce que tu faisais là ?

— Je regardais le coucher de soleil.

— Mais on ne voit rien d'ici !

— Oui, on voit. On voit de très beaux couchers de soleil. C'est comme sur la mer. Enfin, presque. Disons que c'est un coucher de soleil sur la mer-ville.

La petite soeur riait.

— Tu es folle ! Puis, elle ajoutait : Moi, j'aime bien être ici. Pas toi ?

— Oui. Bien sûr. Demain, comme c'est dimanche, on visitera un peu la ville, tu veux ?

Camille était ravie. Anne se disait que bien vite sa soeur perdrait la mémoire de la mer. Elle avait joué sur le sable. C'est tout.

Ce soir-là, Anne avait éprouvé une tendresse pour cette ville. Elle savait déjà qu'elle était sienne. Peut-être à cause des reflets du soleil qui vacillaient au loin, comme une lueur d'espoir.

Il n'y avait pas encore d'éclats de rire. Mais cela viendrait. Il restait demain.

23

L'enseignement en ville occupait les journées d'Anne, depuis deux ans déjà. Camille poursuivait ses études et la musique était devenue pour Anne, malgré ses activités quotidiennes, sa principale raison de vivre. Depuis son entrée au conservatoire, elle n'avait cessé de progresser. Son vieux piano droit, qu'elle avait fait emménager dans leur minuscule appartement, lui permettait de travailler chez elle, jusqu'à très tard le soir et les fins de semaine. C'était là, à vrai dire, le seul objet de luxe qu'elle possédait. Et l'espace était si restreint ! Anne revoyait souvent, par la pensée, les meubles de leur maison d'avant. Mais très vite, elle chassait ces idées.

Les fins d'après-midi, cinq jours par semaine, elle se rendait au conservatoire. Son professeur, émigrée depuis longtemps de Pologne, avait envers Anne une exigence sans limite. Mais Anne se soumettait à elle, ou plutôt à l'art. Entièrement.

— Je ferai de vous une grande pianiste, lui disait-elle avec son accent étranger qu'Anne aimait entendre. Une célébrité même. Si vous le voulez. Je dis bien si vous le voulez.

Mais jamais Anne ne se produisait en public.

— Pas encore mon petit, disait madame Ostrovska. Pas encore. Bientôt. Je vous dirai le moment venu. Et puis, vous le saurez vous-même.

Ce fut un 10 avril. Ce jour-là, Anne interpréta son plus beau répertoire. Les romantiques surtout.

Le public était restreint. Les invités, qui avaient été triés sur le volet, lui semblaient, au premier abord, froids et distants. Chaque année, le lieutenant-gouverneur recevait, à sa résidence, de jeunes musiciens, en leur donnant la chance de se produire pour la première fois. Ce soir-là, Anne et un violoniste débutaient. On les disait les plus prometteurs du conservatoire. Elle avait un trac fou, difficile à maîtriser. Ses mains étaient glacées. Alors, elle les frottait sans cesse l'une contre l'autre, soufflait sur ses doigts pour les réchauffer. Elle bougeait, marchait de long en large en arpentant le petit salon mis à leur disposition, avant le récital.

Le violoniste demeurait impassible, assis, sans bouger. Seuls ses yeux, de temps en temps, jetaient un regard vers son instrument qu'il tenait sur ses genoux. Toutes les cinq minutes, il pinçait les cordes de son violon et en vérifiait l'accord. Puis, tout redevenait silencieux.

Anne le regardait, s'arrêtait en plein milieu de la pièce, soufflait encore sur ses doigts, pianotait dans les airs, solfiait de mémoire son morceau, par bribes, puis se remettait à faire les cent pas.

« J'ai peur, pensait-elle. Mon Dieu, comme j'ai peur. Je voudrais être ailleurs. Être une autre. N'importe où, mais pas ici. Disparaître. J'ai juste peur. C'est le seul et unique sentiment qui m'habite. »

On était venu la chercher. Madame Ostrovska l'avait regardée s'approcher du piano et leurs regards s'étaient croisés. La robe en taffetas rouge sombre, qu'Anne portait jusqu'à la cheville, lui donnait un air inquiet et romantique. Elle n'avait pas souri. Elle en avait été incapable. Elle s'était assise après avoir salué l'auditoire d'un léger signe de tête. Ils étaient tous trop près. Elle sentait leur souffle. Ils pénétraient sa pensée ou presque. Elle avait porté la main à son cou sur son collier de perles fines, dernier souvenir de sa mère. Puis, elle avait penché la tête et avait commencé à jouer.

— Éclatante. Vous devez être éclatante, avait dit madame Ostrovska. Oubliez-les. Tous. Ce ne sont que des têtes de choux.

Après dix minutes, ses mains couraient sur les notes. Il n'y avait plus d'obstacle entre elle et le piano. Entre elle et l'art. Sa musique toujours et sans cesse. Puis était venue la valse. Chopin. Et le souvenir de la valse. Et la voix de la musique qui chante. Et la voix de la musique qui danse. Et les notes qui volent sous ces doigts fins et fous de pianiste.

Et soudain, on entend l'amour. On entend la douceur.

Anne salue, fait la révérence. Premier public. Premier récital. Elle salue encore. On l'aime. Elle le sait. Elle aime aussi. Elle adore ce sentiment d'euphorie qui s'est emparé d'elle et l'habite pour la première fois.

En cet instant, juste-là, elle sent le bonheur. Heureuse. Elle sourit. Elle serre ses mains l'une contre l'autre. Elle joint les mains, les porte d'instinct à ses lèvres. Elle est heureuse.

24

Le tremplin international, l'ultime épreuve pour Anne.
Madame Ostrovska l'avait préparée à cela. Uniquement
à cela. Depuis le début. Le mois de mai n'avait été que
musique, et répétitions, et travail. Sans relâche, jusqu'à
très tard le soir, jusqu'à la finale. « Dernière éliminatoire,
avait pensé Anne. » Puis, elle avait joué son concerto
après avoir répété avec l'orchestre à deux reprises. C'était
le règlement. Pendant toute la durée du concours, on avait
mis à sa disposition un studio au Conservatoire de musique de Montréal. Anne ne s'était pas sentie libre. Il y
avait un horaire très rigide à respecter. Par moments, elle
en arrivait à envier les violonistes qui transportaient avec
eux leur instrument. Elle avait si peu touché le piano sur
lequel elle jouerait pour le concours.

Tout avait été radiodiffusé en direct, depuis plusieurs jours. Maintenant, elle attendait les résultats, assise seule, un peu à l'écart, dans la salle Claude-Champagne, comble ce soir-là. Elle retenait sa respiration. Elle se sentait presque étouffée. Le temps était devenu sauvage tellement il durait. Il y avait quelque chose de cruel qui se passait, en ce moment même. Elle aurait voulu quelqu'un près d'elle. Elle avait remarqué les autres accompagnés d'un parent ou d'un ami.

« Qu'est-ce que je fais ici ? Et tout ce cérémonial. Qu'on le dise le gagnant ! Qu'on le donne ce nom, se disait-elle, et que je sorte d'ici ! »

Madame Ostrovska n'était pas venue. « Elle ne viendra pas », avait pensé Anne. Les maîtres, par trop d'orgueil peut-être, étaient toujours absents durant ces épreuves. « Je ne gagne pas, avait-elle pensé encore. Elle le sait, sinon elle serait là. Je m'en vais. Je m'en vais. »

Puis enfin, était venu le nom du gagnant. L'Ouest avait la première place. Anne était arrivée deuxième, avec une différence de cinq dixièmes de point. Sur scène, ses jambes avaient tremblé comme jamais. La salle avait chaviré. Ou plutôt non, c'est sa tête à elle qui avait chaviré. Elle tout entière. Pour presque rien. Juste pour trois petits mouvements de concerto. Elle avait donné la main à son collègue en le félicitant.

— Thank you very much, Anne.

C'était un gentil garçon.

Elle était redescendue dans la salle et très vite avait

rejoint madame Ostrovska dans sa chambre, voisine de la sienne, à l'Université de Montréal. Mais auparavant, elle avait pleuré, seule, dans une ville où elle ne connaissait personne.

— L'an prochain ce sera votre tour Anne, lui avait dit madame Ostrovska. L'an prochain ce sera nécessairement quelqu'un de l'Est. C'est souvent comme cela.

— L'an prochain ? L'an prochain ce pourra être un violoniste ou un clarinettiste. Le tour des vents peut-être ?

Anne savait qu'il n'y aurait pas de prochaine fois, qu'elle ne recevrait pas cette bourse, qu'elle n'irait pas étudier à *Juilliard School* à New-York et qu'elle n'avait pas d'argent. Impossible pour elle d'enseigner là-bas, elle ne parlait même pas anglais.

— À quoi ça sert tout cela ? Tous ces efforts. Je donnerai ce concert à Québec comme convenu, dit Anne. Ce sera le premier. Et le seul de ma vie. Et à partir de maintenant, je ne jouerai plus que pour moi.

— Vous êtes la pianiste québécoise la plus prometteuse, Anne. C'est ça, la musique.

Anne n'avait rien ajouté. Cette passion l'asservissait trop. Elle la garderait toujours prisonnière.

« Comment c'est être libre ? se dit-elle. Je ne sais même pas ce qu'est la liberté de mon être. »

C'était donc cela l'art. Tout et rien. Rien que l'on puisse garder et tout ce qu'il fallait donner. Ce soir-là, Anne abandonna la musique.

25

Anne renverse la tête, regarde le chef et ses doigts coulent en cascades et trilles sur le clavier. Elle se cambre vers l'avant et le rythme du *Concerto* No 2 de Rachmaninov reprend sa course folle. Puis les violons entrent et tout l'orchestre enchaîne. Et seule la main droite, sa main à elle, joue de courtes mesures. Et à nouveau ses deux mains tiennent les touches noires et blanches.

Elle aime. De toute son âme, elle aime. Elle se donne, s'abandonne à la musique. Elle est musique.

Et le mouvement lent, très lent, reprend. Et encore les violons seuls. Et toutes les cordes. Et ses yeux qui se ferment. Et le piano. Si doux, si doux. Son jeu a quelque chose d'irréel, d'inexplicable.

Ses mains sont maintenant sur ses genoux. Elle oublie la salle. Toute la salle. Sa mémoire musicale fulgure. Elle joue dans le silence, l'intensité du silence. Dans la force du silence. La musique est, en ce moment même, l'art sublimé. L'absence du monde.

Et elle joue encore et encore. Elle a dans ses mains, au bout de ses doigts, un mélange de foudre douloureuse et de douceur qui mène jusqu'à l'extase. Jusqu'à l'infini.

Le temps et toutes ces années ! Et soudain, ils sont là avec elle. Pour elle. Pour entendre la force de la beauté, la force de la douceur. Et l'apaisement de la tendresse de la musique. L'art. Il n'y a plus de distance entre elle et eux. Il n'y a plus d'espace. L'auditoire séduit se confond à elle. Se fond en elle. L'envie de pleurer à surprendre ainsi la souffrance intérieure, à l'élever au-delà de toutes limites, devient presque insupportable.

Et les trilles à nouveau. Et elle, seule au piano. Et tour à tour les cordes en sourdine. Et les timbales et tout l'orchestre. Et la clameur de la foule. Anne est émue. Le public ne voit pas ses pleurs.

Le son a monté comme une douleur. L'inconsolable a surgi. Pour elle. Pour eux. Tout est confondu.

26

Anne avait revu Philippe, ce jeune et brillant avocat que madame Ostrovska lui avait présenté chez le lieute-nant-gouverneur. C'était un homme galant et très gentil. Il appartenait à une famille bourgeoise de la ville. Il lui téléphonait souvent, mais elle s'enfermait avec elle-même et son piano.

— Ce n'est pas la vraie vie cela, lui avait-il dit un dimanche où il voulait l'inviter à sortir.

Elle lui avait répondu que c'était sa vie, à elle, et que rien ne l'obligeait à la partager. Elle avait aussi ajouté que ce serait ainsi jusqu'à la fin du concours de musique du Canada.

Philippe savait qu'il ne déciderait rien à la place de cette femme. Et c'est aussi cela qui le fascinait chez elle.

Au lendemain du concours, il lui avait téléphoné à nouveau. La conversation avait été brève. Anne ne voulait voir personne.

— Mais il est fini ton concours, avait dit Philippe. Il faut vivre maintenant. Tu m'entends Anne. Vivre ! Il avait seulement entendu un pleur.

Puis, elle avait raccroché. Il l'avait rappelée tout de suite.

— Je veux te revoir, avait-il dit doucement.

— Demain, avait répondu Anne.

À partir de ce jour, ils s'étaient revus régulièrement, jusqu'au concert. Il l'emmenait souvent dîner dans de grands restaurants. Il ne ménageait rien pour la séduire. Mais elle lui semblait insaisissable. Elle lui échappait, sans cesse.

Il l'avait aimée dès le premier instant où il l'avait vue se diriger au piano. Il avait été ébloui par cette femme. Et ce soir encore, il aimait tout ce qu'elle était.

— Je te ferai oublier, Anne. Je te ferai tout oublier. L'Autre. Cet Autre.

— L'Autre, murmura-t-elle.

— Oui. Cet Autre qui t'a enlevée de la terre.

— Je suis là, dit-elle, esquissant un sourire. Je suis réelle.

— Alors, épouse-moi, avait-il ajouté très vite, comme s'il eut voulu soudain ne pas avoir prononcé ces mots, parce qu'il avait trop peur de la réponse.

— Mais, on se connaît depuis quelques mois à peine.

— On se connaît bien plus que tu ne le crois. Et je suis fou de toi. Je t'aime Anne. Je te rendrai heureuse, tu verras. Et je te ferai rire. Tu aimes bien rire avec moi.

Puis, il lui dit qu'elle était faite pour le rire et la vie. Non pour les larmes.

— Épouse-moi, lui avait-il demandé à nouveau.

Elle l'avait regardé longuement, puis avait répondu :

— Oui.

C'est ainsi qu'il l'aimait. Forte et tendre à la fois. Puis, il avait pensé : « Je ne serai jamais seul à l'aimer, je le sais. Elle m'échappera toujours. »

27

Toute l'enfance s'enfuit et pour toujours. Anne marche à travers les arbres, s'arrête en haut, face à une rivière à côté d'un jardin. Le bord de l'eau n'est plus à elle. Il n'est plus son refuge. Ici, il n'est qu'illusion à cause d'un rêve, à cause d'une noce. Maintenant il sera à jamais derrière elle. Elle ne veut plus cette quête. Elle ne veut que la liberté. De tout son être.

Puis, elle descend la pente de verdure très douce. Jusqu'au bord de l'eau. Camille est venue la rejoindre. Elle s'enroule dans le long voile de tulle blanc de la mariée, s'approche d'elle et glisse sa main dans la sienne.

— Nous serons toujours là, ensemble, Anne ?
— Toujours.

Anne ne la regarde pas. Elle regarde de l'autre côté de la rive, là où il y a le fleuve, et montre le courant à sa soeur. Leur route à ne pas perdre.

Pendant un moment, il lui a semblé que le temps était demeuré en suspens.

— Je t'offre mes gardénias, avait dit Anne. Fais un voeu. Je te promets du bonheur. Plein de bonheur.

Elles avaient ri ensemble. Un dernier rire d'enfance. Camille était emmêlée dans le voile d'Anne. Alors elles avaient éclaté de rire.

Camille avait maintenant seize ans. Pendant tout l'été, elle poursuivrait ses activités de monitrice dans une colonie de vacances pour enfants handicapés. L'automne venu, elle commencerait son cours collégial et dans deux ans elle entrerait à l'université.

Il avait été entendu qu'elle habiterait avec Anne et Philippe jusqu'à la fin de ses études.

En se retournant, Anne avait aperçu Philippe sur le haut de la colline. Cet homme l'aimait. Il l'admirait. Elle le savait.

On prit quelques photos des mariés près de la rivière, avec la petite chapelle historique comme témoin. Anne avait choisi une église de banlieue pour la cérémonie.

Il y avait peu d'invités. Elle avait réussi à faire accepter à la famille de Philippe le non-sens d'une grande réception. Ici en ville, hormis sa soeur, elle n'avait aucun parent. Quelques amis du conservatoire avaient fait les frais de la musique. La cérémonie religieuse avait été magnifique.

Pendant la communion, Anne s'était concentrée sur l'*Adoration* de Félix Borowski, interprétée par une copine violoniste. Dès les premières notes de musique, elle avait joint les mains sur le prie-Dieu où elle s'était agenouillée. Machinalement, elle avait égaré ses yeux qui s'embuaient, sur les minuscules boutons des poignets de sa robe de noce. Elle avait senti sur sa tête le poids léger d'une fragile couronne de fleurs. Ses mains étaient glacées. Alors, elle avait décroisé les doigts pour effleurer le missel blanc, seul souvenir de sa mère. Après ce geste, elle était demeurée immobile. Philippe avait posé sa main sur les siennes. Elle l'avait regardé. Il lui avait souri. Elle avait peut-être souri.

Puis, les carillons étaient venus la saisir. Anne avait toujours aimé les cloches. À toute volée. Maintenant, au bras d'un mari, elle souriait et s'avançait dans l'allée centrale, vers les portes grandes ouvertes, face à la lumière éclatante de jaune, ce jour de juillet.

Il faisait beau. Il faisait chaud. Une brise légère comme l'auraient voulu tous les époux du monde.

Ainsi, s'accomplissait l'imparable activité du destin.

28

Anne avait décidé de quitter le café et de continuer tranquillement à marcher vers l'est de la ville. Là, elle se glisserait à travers la foule, se fondrait aux badauds, rirait avec eux, et participerait, à sa façon, au défilé de la Saint-Jean-Baptiste. Tout ce retour sur le passé l'avait beaucoup trop envahie. Sa mémoire avait repeint des souvenirs dans l'imaginaire. Tout ce qu'elle avait aimé ou ressenti était là, présent en elle. Comme une réverbération. Elle n'avait rien inventé. C'est l'empreinte des sens qui s'accomplissait à travers le temps. Elle marcha donc encore une bonne demi-heure et voulut oublier tout cela. Devant la bibliothèque municipale, elle traversa la rue Sherbrooke et se rendit au Parc Lafontaine. Là, les gens, chacun à leur manière, affichaient la couleur du pays. Alors, Anne choisit une place sur la pelouse et s'assit en indien, près d'un enfant tenant un ballon bleu. En fait, il y avait des centaines, des milliers de ballons bleus autour d'elle.

Quelques minutes plus tard, on entendait les tambours des majorettes qui avançaient.

Elle était aux premières loges et s'en trouvait ravie. Elle souriait, seule, perdue dans cette foule à qui elle s'apparentait. Elle était seule, mais se sentait presque heureuse. En cet instant, rien ne la dérangeait. Personne d'autre qu'elle-même à qui penser. Une liberté folle l'animait. Elle se retrouvait, elle, Anne.

Puis, les gens avaient commencé à se lever. Elle avait entendu des cris de joie à la vue du premier char allégorique. À son tour, elle s'était levée pour apercevoir un gigantesque mouton de Troie. Soudain, tout lui avait semblé éclaté. Le mouton était ouvert, de telle sorte que l'on voyait le peuple à travers lui.

« Mon peuple à moi », se dit-elle.

Il était vêtu de noir et de blanc, comme ses ancêtres. C'était un peuple en mouvement, de l'intérieur. Par toutes ces ouvertures, de chaque côté du mouton blanc à tête noire, il lui sembla que le peuple ne serait plus jamais replié sur lui-même.

« Mon peuple s'articule, pensa Anne. Il est fait d'art et de force, d'énergie et de transparence. Il sort enfin sur le monde. »

Voilà vingt ans que n'avait pas eu lieu un défilé de la Saint-Jean-Baptiste. Voilà vingt ans que le peuple se préparait à cette fête. En silence.

Anne ne regrettait en rien cette chaleur intense qu'il faisait. Elle aimait trop ce peuple auquel elle appartenait. Maintenant, elle applaudissait le char du droit de vote des femmes en 1940. Et elle souriait.

« Je n'étais même pas née, pensa-t-elle. On a oublié tout cela. Et personne ne nous le rappelle ou si peu. On se fête donc tout entier aujourd'hui. »

Anne s'émerveillait. Les couleurs. L'unité des couleurs. Que du bleu et du blanc. Partout. Quel magnifique bas relief se déroulait devant elle.

« Tant de choses ont passé à travers nous, à travers la nation. Et nous oublions si vite », se dit-elle.

Toute cette mise en scène et ces milliers de figurants habillés de fleurdelisé. Quel théâtre ! Et quelle scène ! Le monde. Une masse humaine qui marche pour son pays. Et la musique du peuple. Et les chants du peuple. Sa voix.

Il y avait là tant d'amour et de fierté. Des comédiens défilaient. Des politiciens défilaient. Toute une nation défilait. Anne se sentit soudain fière d'être là. Rien n'avait été oublié, pas même l'école. Et sur d'immenses cubes, des enfants écrivaient un pays à faire rêver.

Le peuple chantait. Le peuple dansait. Anne suivait maintenant, à travers la foule, le dernier char. Elle marchait derrière le barrage de la Manic. Derrière l'eau. L'immensité des chutes d'eau peintes en bleu. L'énergie qu'elle puisait de la foule était puissante et nouvelle. Elle saluait des inconnus, donnait la main à des enfants sur les épaules de leur père et elle écoutait le peuple scander : « On veut un pays. » Elle entendait le peuple crier : « Le Québec aux Québécois. »

Elle demeurait silencieuse et souriait, sans toutefois oser se joindre aux cris. Elle se retenait par trop de réserve. Soudain, elle pensa : « Si Philippe me voyait. S'il me voyait, il me trouverait complètement folle. Je le suis peut-être, mais je ne suis pas seule à l'être. » Puis, elle réussit à se glisser sur le trottoir.

Devant elle et derrière elle, la foule bleue. Des kilomètres de foule bleue. Elle n'avait plus d'autres choix que de suivre la marche. Au prochain coin de rue, elle essaierait de quitter le défilé. Soudain, elle se sentit fortement entourée et ne put sortir de la foule que quelques rues plus loin. Tout le monde s'adressait la parole et c'est ainsi qu'elle fit la connaissance de trois étudiants qui cherchaient, eux aussi, à s'esquiver.

— Tu es seule ? dit l'un d'entre eux

Anne n'eut pas le temps de répondre.

— Viens avec nous. On va se rafraîchir un peu. Pas loin d'ici, il y a un pub bien « cool », c'est chez *Biddles*.

— Bien, je ne sais pas. C'est vrai qu'il fait très chaud, dit Anne, hésitante. Et si je ne bois pas quelque chose, je vais défaillir, je crois.

— Bon ! C'est réglé, dit la jeune fille qui accompagnait les deux gars. Moi, c'est Marie. Et le grand noir là, c'est mon petit frère Paul. Et l'autre, le beau brun, mon copain, Dan.

— Je m'appelle Anne.

— Salut ! dit Paul.

— Salut !

Dan se contenta de saluer Anne d'un signe de tête.

Marie et Dan étaient étudiants en médecine et Paul en génie civil. Anne leur dit qu'elle enseignait. Ils eurent vite fait connaissance. Elle était toujours à l'aise avec des étudiants et cela se sentait.

29

Un air de jazz régnait chez *Biddles*. Anne adorait le jazz. Puis, les musiciens s'arrêtèrent pour une pause.

— Vous croyez que l'on peut jouer sur ce piano ? demanda-t-elle.

— Tu joues du piano ? demanda Paul.

— Un peu, répondit Anne.

— On arrange ça tout de suite, ajouta Dan. Tout de suite.

Quelques minutes plus tard Anne était installée au clavier et demandait à ses nouveaux amis ce qu'ils désiraient entendre.

— C'est toi qui joues, dit Marie. C'est toi qui décides.

Anne passa la main dans ses cheveux, réfléchit un moment et joua : *Quand les hommes vivront d'amour*.

— C'est de circonstance, dit-elle, non ?

On l'applaudit. Puis, l'un des musiciens s'approcha d'elle. Il était noir et jouait de la contrebasse à merveille. Anne voulut se lever mais gentiment il lui demanda de rester. Et le saxophoniste vint les rejoindre.

— Nous voulons vous accompagner. Si vous acceptez, dit le contrebassiste.

— Avec plaisir, dit Anne souriante. Avec grand plaisir.

Alors, il rejouèrent *Quand les hommes vivront d'amour*, mais cette fois, avec un rythme de jazz déchaîné. Et ils chantèrent aussi.

Anne joua ainsi une heure sans arrêt. Elle ne sentait plus la fatigue. Elle était simplement heureuse. La place s'était vite remplie. Tout le monde chantait avec elle et les étudiants qui s'étaient approchés du piano s'en donnaient à coeur joie.

— Je dois rentrer, dit Anne.

— Déjà ! T'es pas pressée, dit Paul.

Anne avait souri.

— Je suis contente de vous avoir connus.

En fait, ils avaient très peu parlé. La musique, la fête les avaient unis. Ils s'étaient compris à travers tout cela. Maintenant, ils allaient se quitter.

— Le hasard fera peut-être que l'on se retrouve un de ces jours, avait-elle dit.

— On ira te voir chez toi, à Québec. On n'attendra

pas le hasard, avait ajouté Dan.

Puis, ils s'étaient serré la main, embrassés, et Anne était sortie.

30

Il était seize heures. Tout le monde s'était dispersé et Anne avait quitté le groupe d'étudiants. Quel bel après-midi elle avait passé ! C'est toujours ainsi lorsque rien n'est planifié, comme si la vie voulait, de temps en temps, nous faire croire qu'elle n'est pas si mauvaise au fond.

Elle avait décidé de marcher encore un peu malgré la fatigue. Elle voulait savourer quelques instants de plus ces moments de solitude dans une autre ville que la sienne. Montréal lui paraissait soudain belle. Elle remonterait la rue Saint-Denis pour se rendre sur Sherbrooke. Elle prendrait un taxi un peu plus loin, un peu plus tard.

« À dix-sept heures, je rentrerai », pensa-t-elle.

Et puis la faim la tenaillant, elle entra dans un petit café sans trop remarquer le nom. L'auvent rayé rouge et blanc et les flâneurs dehors avaient attiré son attention.

— Il n'y a plus de place à l'extérieur Madame, lui avait dit un serveur. Mais à l'intérieur, c'est confortable et climatisé. Il fait si chaud !

Anne fit signe que non de la tête et continua jusqu'au café voisin. Puis, sans raison aucune, elle revint sur ses pas. « Pourquoi pas à l'intérieur », se dit-elle.

C'était sombre, mais joliment décoré dans un style début du siècle. De grands miroirs ovales ornaient les murs et d'anciennes photographies de la ville, prises vers les années 1910, étaient suspendues un peu partout. Des nappes de dentelle écrue et des bougeoirs décoraient chaque table. Un jeune serveur fit signe à Anne de le suivre.

— Ici ça vous convient Madame ?

Elle acquiesça. Un autre garçon lui apporta le menu en même temps qu'il lui offrit un apéritif.

— Non merci. Je veux grignoter quelque chose de léger. Et j'aimerais un grand verre d'eau glacée, s'il vous plaît.

Anne n'avait pas remarqué les gens dans le restaurant. En fait, trois tables, avec la sienne, étaient occupées.

Elle lut son menu, choisit vite, but un peu d'eau, puis se retourna et vit juste derrière elle un homme, là, qui lisait. Elle se leva doucement, tout doucement et alla vers lui. Il ne fit aucun geste vers elle, trop absorbé par sa lecture, sans doute. Tout aussi doucement, elle lui effleura l'épaule du bout des doigts.

— Christian, murmura-t-elle.

L'homme la regarda, puis se leva. Il y eut un long silence pendant quelques instants.

— Tu ne me reconnais pas ?

Puis, hésitante, elle continua :

— Tu ne me reconnais pas ? J'ai donc tant changé ?

— Anne ! Anne, ce n'est pas possible ! Mon Dieu, ce n'est pas possible ! Que fais-tu ici, tu habites Montréal ?

— Non, je marche pour mon pays. Regarde mes chaussures, et toute mon allure.

Elle avait soudain un air espiègle de petite fille. La nervosité la faisait parler.

— Je ne comprends pas.

— Je sais, dit-elle en riant.

Il rit aussi.

Anne était décoiffée. Son visage était rougi par un coup de soleil. Son chemisier froissé et mouillé de sueur, à cause de la trop grande chaleur. Elle sourit en le regardant.

— Quel hasard ! Quel hasard !

— Tu es seule ? demanda Christian.

— Oui.

— Alors viens t'asseoir à ma table, on a tant à se dire.

Il la regarda, s'approcha d'elle, puis l'embrassa délicatement sur les joues. Elle l'embrassa aussi, un peu gênée. Et elle s'assit juste à côté de lui Elle ne savait plus quoi dire, ni par où commencer. Vingt ans de vie ne se racontent pas en un instant.

— Tu es maintenant un chirurgien célèbre. J'ai appris cela. Par les journaux. Et cet après-midi même, des étudiants en médecine m'ont parlé de toi, dit-elle.

— Des étudiants ? Mais explique-moi. Pourquoi des étudiants en médecine ?

— Tu vois, cet après-midi, j'ai marché. J'ai suivi toute la parade. C'est la Saint-Jean. Tu sais, j'ai marché depuis la rue Sherbrooke-Ouest jusqu'ici et plus loin même.

Elle rit encore, un peu nerveusement.

— C'est pourquoi tu me vois dans un tel état. On se croirait en Afrique. Il fait si chaud.

Puis elle continua à se raconter.

— J'ai marché. Mon drapeau était parmi tous ceux que tu verras dans les journaux demain. Et j'ai rencontré un groupe d'étudiants, et me suis jointe à eux. J'enseigne encore. La littérature, enfin … le français. Ma tâche à l'école n'est plus ce qu'elle était.

— Parle-moi de toi encore, dit-il. Ta musique, ton piano. Tu joues toujours ?

Anne ne répondit pas.

— Tu joues encore, n'est-ce pas ?

Il avait pris soudain un air très interrogateur.

— Parfois. Cela m'arrive parfois. Cet après-midi, j'ai joué. Je me suis retrouvée dans un pub avec ces étudiants. Tu sais, chez *Biddles*. Il y avait un piano. J'ai joué.

Elle avait joué du jazz et aussi un mouvement du *Concerto de Varsovie*. Elle avait pensé à lui, un instant, juste un court instant. Jamais elle n'avait essayé de le retrouver. Jamais. Elle aurait pu. Et puis, il était là.

— Je t'ai cherchée, Anne. Je t'ai cherchée il y a quatre ans. J'ai voulu intensément te revoir. Une seule fois. Et tu es là. Ton numéro de téléphone est secret, je crois. Je n'ai jamais pu obtenir ton numéro.

Il mit sa main sur la sienne puis, se retint. Il avait fait ce geste sans penser. Il avait eu envie de la toucher. Il ne le pouvait pas.

— Tu n'as pas changé, dit-il.

— Oui, j'ai changé. J'ai changé, Christian. Puis, elle fit dévier la conversation vers lui. Tu opères encore ?

— Oui, malgré l'âge, tu vois. Mais moins. J'enseigne surtout. À l'université. Et je voyage. Je voyage beaucoup.

— Et tes enfants ?

— Ma fille est mariée et mon fils, lui, sera un éternel célibataire, je crois. Et il rit. Puis il devint plus grave.

— Je suis divorcé depuis longtemps.

— Et remarié, ajouta Anne candidement.

— Non. J'ai bien essayé, mais ça n'a jamais duré plus de trois à six mois. Au début, tout est beau. Et rapidement, cela se gâte.

Anne sourit. Elle ne savait plus quoi dire.

— Étrange, les femmes que je côtoie ont toutes ton âge ou à peu près.

Anne le regarda. Il plongea ses yeux dans les siens. Ce même regard. Ce même bleu. Elle eut mal soudain.

— Excuse-moi, dit-elle, j'aimerais … J'aimerais passer au lavabo.

Elle fit couler l'eau du robinet, s'aspergea le visage à deux mains. Se retourna dos au lavabo. Renversa la tête et se dit : « Ce n'est pas possible. Ce n'est pas possible. Moi qui croyais avoir oublié, tout oublié. On n'oublic donc jamais. Rien ne meurt vraiment. »

Elle essuya son visage, se poudra et mit un peu de rouge sur ses lèvres. Elle vint le rejoindre mais auparavant, demeura quelques instants debout, derrière lui, à l'observer. Ses cheveux étaient gris, sa nuque était belle. Il était beau. Cette même allure sportive qu'il avait ce soir du 24 juin 1969.

— Tu vois, le destin ou le hasard a voulu que l'on se retrouve à la Saint-Jean, dit Anne.

— Il n'y a pas de hasard, Anne. Le hasard n'existe pas. Nous devions nous revoir, c'est tout. Pour quelle raison ? Je l'ignore. Peut-être comprendrons-nous un jour.

— Vous êtes prêts à commander ? vint interrompre un serveur.

— Pour moi, une salade maison et un café, dit Anne.

— Un café par une pareille chaleur ! ajouta Christian.

— Oui, j'ai envie d'un café.

Il la regarda. Pencha la tête et dit :

— La même. Personne ne pourra te faire prendre du thé si tu as décidé d'un café.

Puis ils se racontèrent, passèrent d'un sujet à un autre sans en épuiser aucun. L'heure filait et vite. Anne avait raconté son mariage, son fils.

— Je dois rentrer, dit-elle

Les mêmes mots. Ceux du dernier soir.

— J'ai brisé ma vie, laissa-t-il tomber. J'ai brisé ma vie.

Anne le regarda, prit son verre et but.

— Tu ne m'aimais pas. Tu ne m'aimais pas, Christian.

— Es-tu heureuse ?

Anne ne répondit pas. Il demanda à nouveau :

— Es-tu heureuse, Anne ?

— J'ai tant souffert. Si tu savais.

— Je sais, je sais.

Puis, après hésitation, elle ajouta :

— Est-ce que tu m'aimais ?

— À quoi bon revenir sur le passé. Pourquoi tu te fais du mal comme ça ? Pourquoi ?

— Tu ne réponds pas à ma question. Une fois, une seule petite fois, dis-le. Si c'est non, dis-le aussi : Anne, je ne t'ai jamais aimée. C'est toi, tes vingt ans qui s'accrochaient. Dis-le.

Elle avait maintenant les yeux dans l'eau.

— Souris, Anne. Tu es si belle quand tu souris.

Anne esquissa un sourire. Elle venait d'oublier sa vie présente. Elle avait eu, pendant un instant encore, vingt ans.

— Je rentre, dit-elle. Mon mari m'attend pour le dîner. Il va s'inquiéter, se demander ce que je fais. Il est ici pour un congrès. Je vais être en retard. Je le suis déjà d'ailleurs. Elle demeura un instant silencieuse, puis ajouta :

— Je n'ai pas envie de rentrer.

— Je te reconduis.

— Non, non. Tu es gentil, mais je ne veux pas. Si quelqu'un me voyait arriver avec toi.

— Mais, tu n'as rien fait Anne. Rien.

Christian paya l'addition et insista à nouveau pour la raccompagner jusqu'à son hôtel.

Il faisait une chaleur intense dans l'auto.

— Ce sera frais dans quelques instants, dit-il. Tu veux entendre quelque chose de beau ?

— De beau, dit-elle en souriant.

Il mit un disque compact. Puis, il y eut la valse. La belle et longue valse de ses vingt ans.

— Vous dansez, Madame Anne ?

— Alors, dites-moi si vous m'avez aimée docteur. Dis-le. Une fois, juste une fois.

— Oui, je t'ai aimée. Je t'ai assez aimée pour te laisser ta jeunesse, tes vingt ans, ta vie. J'ai voulu que tu sois heureuse. J'avais promis à ta mère, avant mon départ, de ne plus jamais te revoir. J'avais promis. Elle t'aimait. Elle voulait ton bonheur. J'étais trop vieux pour toi. Et marié. Et séparé. Et j'avais deux enfants. Je t'ai aimée, Anne.

Et, sans la regarder, il ajouta :

— Et je t'aime encore.

Anne avait la gorge qui se serrait. Il prit son visage entre ses mains et la regarda longuement.

— Nous sommes les amants de l'invisible. Doucement, doucement. Tu vois, Anne, nos yeux dansent la valse face à face. Tu n'as pas changé.

— Oui. La femme que tu as connue autrefois n'existe

plus. Elle est morte le 13 janvier 1970 en même temps que ma mère.

Christian tenait toujours son visage. Elle mit ses mains sur les siennes et ferma les yeux. Alors il embrassa ses paupières et puis ses joues et il la prit tout contre lui. Ce fut si fort. Puis, c'est elle qui le regarda et c'est elle qui embrassa sa bouche la première. Et lentement, lentement ils se séparèrent.

Tout au long du trajet, il n'y eut plus de valse, mais le silence, l'infini silence qui se tait.

31

Anne avait été très impulsive et s'était rendue jusqu'au café où Christian lui avait donné rendez-vous la veille. Ils s'étaient attablés pendant une petite demi-heure puis, l'envie d'entendre Anne jouer du piano avait vite poussé Christian à la faire asseoir devant le clavier. Elle avait souri et accepté. Il avait changé de place et s'était installé à une table juste à côté de l'instrument. Ainsi il verrait bien le jeu de ses mains et pourrait l'observer comme il aimait tant le faire autrefois.

Anne avait essuyé ses mains sur sa robe avant de les déposer sur le clavier. Elle était nerveuse. Elle se sentit soudain face à un juge pendant un examen. Puis, elle soupira, relâcha ses mains et voulut se lever. Il lui prit le bras. Doucement.

— Joue Anne, s'il te plaît, joue. Pour moi.

Le café était maintenant rempli. Anne eut soudain l'impression qu'elle était en train de se dérober un soir de concert. « Je ne peux pas, pensa-t-elle, je ne peux pas, cela fait trop mal. » Puis soudain elle dit :

— Nous sommes juste en train de nous souvenir Christian, nous sommes juste en train de nous souvenir.

— Non. Non. Nous vivons aussi. Nous vivons plus intensément que jamais.

— Alors viens. Joue avec moi pour commencer. Jouons un quatre mains. Après, je jouerai seule, je te le promets.

— Tu crois que je me le rappelle. Il y a si longtemps que j'ai joué.

Il se leva et s'assit près d'elle. Tout près.

— C'est toi qui m'avais appris, dit Anne.

— Attends, attends que je me rappelle les notes.

Et il pencha la tête vers l'avant, fredonna quelques airs pendant qu'elle pianotait et mit à son tour les mains sur les touches noires et blanches.

— Voilà, dit-il, on joue une danse hongroise de Brahms.

Elle le regarda avec tendresse. Christian était plus concentré qu'elle. Il relevait la tête et la renversait en cherchant au plus profond de sa mémoire les dièses et les bémols si loin enfouis dans le sablier des rêves. Anne jouait librement maintenant, sans aucune difficulté. Elle n'avait plus le trac.

Les gens se tassaient de plus en plus autour d'eux. Le petit café était rempli à craquer. Le jazz était très populaire en ville mais le classique, en plein après-midi, c'était plutôt rare. Leurs deux êtres dégageaient une espèce d'aura. On sentait leurs vibrations. Puis, ils s'arrêtèrent. Sous les applaudissements, Christian avait pris Anne dans ses bras et l'avait étreinte. Ses mains étaient maintenant sur sa taille fine.

Il eut soudain une envie folle de l'embrasser, là, sans retenue. Anne sentait que plus jamais ce moment ne reviendrait. Cette infinie tendresse, ce bonheur simple et entier leur était donné comme un cadeau en plein été. Le ciel les aimait donc tant ? Alors elle céda à l'emprise de ces mains qui serraient maintenant les siennes et Christian la prit complètement dans ses bras et l'embrassa sous les « Bravos » et les « Encore ». Ils se levèrent et saluèrent par la main comme dans un grand concert.

— Joue maintenant, dit-il. Puis il pensa : « Joue ma belle. Ma tendresse. Joue pour moi. »

Anne joua la *Valse minute* de Chopin et l'*Impromptu*, opus 90, de Schubert. Celui qu'il préférait, le No 3.

Elle était totalement concentrée sur sa musique. Elle oubliait tout. C'était ainsi qu'il l'avait connue. Mais comme elle jouait maintenant ! « Ce si grand talent, perdu », pensa-t-il. Elle en souffrait, il le savait. Cela se voyait. Puis la musique s'arrêta. Il y eut un long moment de silence. Anne pencha la tête vers l'avant et demeura ainsi. Seule. Puis, les applaudissements vinrent rompre cette image et l'on ne vit plus que leurs regards l'un dans l'autre.

Christian l'applaudit, se leva, et souriant l'amena à sa table.

À nouveau, le silence tomba entre eux. Un silence à faire mal à travers le bruit des voix, des serveurs et des verres.

« Il n'y a pas d'amour de vivre sans désespoir de vivre. » Anne laissa tomber cette phrase de Camus retenue il y avait si longtemps.

— On doit donc payer si cher le peu de bonheur que l'on croit tenir, dis-moi ? Cela doit donc faire si mal que de toucher ne serait-ce que quelques instants, le bonheur ?

— Peut-être Anne, peut-être. Mais, si une fois ou deux, dans notre courte vie, nous pensons tenir l'absolu, cela n'en vaut-il pas la peine ?

— Demain, j'aurai mal, ce soir peut-être. J'aurai de la peine. Tu me manqueras. Et je ne veux pas que tu me manques. Je ne veux pas, tu comprends ? Et tu me manques déjà.

— Comme tu es triste !

Il n'ajouta rien. Il n'y avait plus rien à ajouter. Lui aussi aurait à oublier, à revivre demain, le quotidien. Elle ne comprenait peut-être pas sa peine à lui. Il la cachait sous un air frondeur. Il avait essayé de rire. Et maintenant, il sentait bien que c'était elle qui allait le quitter, cette fois. Elle qui tenait tout entre ses mains.

Jamais il n'oublierait cette image d'un après-midi d'été. Toute une vie s'y résumait. Sa main avait frôlé la sienne. Puis doucement, tout doucement, de son pouce, il caressait le bout de ses doigts et puis l'intérieur de sa main. Elle eut envie soudain d'étreindre cette main forte et sûre mais elle se retint. Alors, c'est lui qui la prit tout entière et croisa ses doigts à travers les siens. Et leurs deux âmes se trouvèrent là, en un même instant, réunies.

Sans rien dire, dans un geste de tendresse infinie, il prit son visage, le retourna face au sien et la regarda.

— Ce que tu es belle !

De ses doigts il dessina le contour de ses lèvres, de ses yeux, puis les mots de la peur, de la pudeur, ses mots à elle vinrent rompre le silence. Alors, avec douceur, il approcha son visage du sien, frôla sa bouche, ses joues et encore sa bouche, prit ses lèvres et l'embrassa. Elle ferma les yeux, toucha sa main, la pressa fortement contre sa joue, puis contre tout son visage, comme pour garder un dernier instant encore, une portion d'éternité.

— Il est tard, Christian, je dois partir maintenant.

— Tu es tendre, si tendre Anne. Ma douce et merveilleuse …

Puis il se tut, ne pouvant plus continuer. Il avait la gorge serrée.

Il prit à nouveau ses mains, mais cette fois, comme on tient celles d'une enfant et les embrassa. Puis son front.

— Tu te souviens, Anne ?

Anne ne savait pas de quoi il parlait.

— Tu as oublié ? Tu voulais toujours que je t'embrasse sur le front avant que l'on se quitte, tu te souviens ?

— J'étais donc si jeune. Je ne m'en souviens plus.

— Va, rentre maintenant. Je reste encore un moment.

Anne se leva doucement et se dirigea vers la sortie, sans le regarder.

— Anne ! Anne ! cria-t-il d'une voix étranglée de l'arrière du café.

Anne ne se retourna pas. Elle hésita un moment, puis franchit la porte.

À cette heure de fin d'après-midi, à cette heure mauve, où le rose est presque bleuté, où toute la quiétude de l'été se referme sur elle-même, à cette heure où la couleur du jour est imprécise et douce par surcroît, entre le bleu et le violet, un homme et une femme pleuraient.

32

« Nous ne sommes plus nulle part. Nous sommes juste derrière nos yeux, dans l'instant de nos vies réunies. Et je cherche les mots à t'entendre me dire. »

Anne laisse échapper une plainte. Une seule longue plainte. Le cri du désarroi. Le cri de désespoir de la douleur. L'eau ruisselle sur son corps, comme s'il fut possible d'effacer toute trace de ce présent-passé. De ses deux mains, elle lisse ses cheveux vers l'arrière. Elle essuie son visage. Ses pleurs. Elle demeure longtemps sous la douche, sous l'eau fraîche presque froide. Et la peine déchire et brise la voix avec un dernier sanglot étouffé dans le silence.

« Nous n'aurons eu qu'un désir à retenir, pense-t-elle.

Juste un désir refoulé au plus profond de nos êtres. »

L'enfance si fragile s'est posée au creux d'une femme ce jour-là. Elle demande son père et puis sa mère. Elle veut la voix des mots de douceur. Des mots de rien. Elle a un jour d'enfance à consoler. Personne ne vient.

Elle était maintenant assise dans un fauteuil, drapée d'un peignoir appartenant à l'hôtel. Elle avait démêlé ses cheveux et son regard fixait le vide. Il était dix-sept heures cinq, Philippe allait bientôt paraître. Elle s'étonnait d'ailleurs qu'il ne soit pas de retour à la chambre. À nouveau, elle pensa à Christian. Pourrait-elle jamais le chasser de ses pensées. Maintenant, il n'y avait de place que pour lui. Elle réentendait ses mots : « Ce que tu es belle. » Puis, « Je t'ai aimée et je t'aime encore. »

Elle s'était rendue jusqu'au bout de la jetée et tout à coup il n'y avait plus que le silence qui l'anéantissait.

Toute la façade du monde lui apparaissait comme une violence faite à la tendresse. Au bout de la jetée, il y avait l'autre caché, déguisé par la face de la vie. Et l'autre était rêve, espoir, et encore silence. Et l'autre était blessure, peine et tristesse. Passion et douleur. Lui, près du départ. Et elle qui s'était avancée jusqu'à lui, presque sur la pointe des pieds.

Il y avait maintenant le réel et l'irréel. Et l'incommensurabilité de l'être. L'instant d'avant et c'est déjà le passé.

« Christian, Christian, dit-elle tout bas. Tu ne sauras jamais combien je t'ai aimé. Tu ne sauras jamais comme je t'ai attendu. Ma vie entière, pour un si court instant. »

Elle ne pleurait pas. Mais la tristesse l'avait envahie. Elle était brisée soudain. Comme vieillie en une seule journée.

« Tout sera si long maintenant. »

Elle aurait voulu dormir, ne plus penser. Une froidure à l'intérieur d'elle gelait son corps.

« J'ai froid, murmura-t-elle, comme j'ai froid. À mourir. »

Plus tard, bien plus tard, étreindrait-il sa main, si souvent glacée ? La lumière en plein visage, au retour solitaire d'une promenade, la regarderait-il, elle, à travers l'insolite du temps ? Son âme frôlerait-elle la sienne à nouveau, par ce pont si fragile qui les sépare encore ? Ses pieds se mouilleraient-ils dans la rivière, alors que les siens couraient nus sur les galets lavés par les vagues de la mer ?

Parfois, percevrait-il sa main en caresse sur sa joue et sentirait-il son souffle près du sien ? Quand reviendrait l'été, coucherait-il l'herbe au pied d'un mont, la tête sur sa veste roulée ? Fermerait-il les yeux au désir de son corps et la prendrait-il tout contre lui ? La prendrait-il tout entière ?

Au retour de l'hiver, du long hiver, la ferait-il encore valser par ses mots ? Devant leurs deux solitudes, immenses, la ferait-il danser par ses mots ?

Elle avait voulu le toucher une dernière fois, se fondre en lui, mourir, là, en cet instant où leurs deux âmes s'étaient frôlées et pénétrées tout entières.

Elle était sortie du café et n'avait même pas effleuré son bras.

« Où trouver refuge contre la douleur sans la mer ? Pour apaiser la douleur, que ferons-nous ? C'est comme un grand coup dans l'âme soudain, pensa Anne. C'est si fort.

Nous étions là, comme en un premier amour, peut-être venus chercher la tendresse. Juste la tendresse. En un seul lieu. »

Anne se souvenait du bord de la mer, des étoiles dansantes et d'un ciel illuminé. De jaune.

« Nous étions donc dans l'histoire l'un de l'autre. C'était réel. »

Tout avait été dit dans le silence. Celui des mots, celui des gestes, celui des yeux et de l'âme.

Était-ce là l'absolu ? Une vie.

Il y eut un homme et une femme. Il y eut l'étreinte des regards, celle des mains si forte, et le désir.

Et vint la douleur d'aimer. Encore.

Et viendra le temps des jours à passer.

Et plus tard, demain, malgré tant et tant. Ils étaient demain. Et ils reconnaissaient leur espace à aimer, leurs morceaux de mémoire. Et ils laisseraient vivre la vie. Sans chercher, sans rien demander.

Ils cacheront la douleur de leurs deux solitudes dans la foule. Et ils iront en faisant semblant.

Ils deviendront l'histoire d'une époque, le rêve d'un espace et d'un lieu devenus par le temps irréels. Ils seront le roman d'une vie. Alors, ils remonteront jusqu'au rivage de leur mémoire et tout recommencera.

Au sommet cette fois. Face aux lumières jaunes de la ville. Pour un court instant encore, ils revivront la tendresse d'une première fois. Rien ne s'efface. Jamais.

33

Le soir venu, à travers une chaleur humide, Christian avait couru jusqu'au bout de son souffle, s'était penché vers l'avant, haletant, puis avait mis les mains sur ses genoux. Il était en sueur, ses jambes tremblaient. Il avait peine à se tenir debout. Il s'assit par terre puis bougea les jambes une après l'autre, pour éviter les spasmes. Il se laissa tomber sur le dos, sur l'herbe, les bras étendus. Il ne voyait plus qu'un ciel lourd et grisâtre.

Là, en bordure du fleuve où il avait couru, il l'avait revue. Elle avait vingt ans. Elle entendait son cri au loin, à l'autre bout de la plage. Il l'appelait. Le vent la faisait se retourner et plaquait ses cheveux sur son visage.

Elle court, il court aussi. À perdre haleine. Il la sou-

lève, sa taille est légère. « Tu es venue, tu es venue ! »
Sa tête se renverse. Elle est entre ciel et terre. Les nuages
chavirent avec eux. Il la soulève encore. Le cri des goé-
lands se mêle à leurs rires. Les vagues leur lavent les
pieds, les lavent tout entiers.

La barge de l'aube s'éloigne, lentement, lentement.

Il ne veut plus que dormir dans l'eau glacée. Éternel-
lement. Caché par les vagues de la mer.

Tout n'est plus qu'une douleur qui s'accomplit. À
travers le soir. À travers la nuit, face à la ville. Face aux
lumières jaunes de la ville. Dans le silence des êtres.

34

Anne était absente.

— Vous dansez, Anne ?

Elle avait sursauté.

— Bien sûr !

— Pardon, je ne voulais pas vous effrayer ainsi, ajouta l'homme, debout devant elle. Je sais comme vous valsez bien.

Il l'entraîna à travers les couples pressés les uns sur les autres.

— Vous n'êtes pas là, Anne. Vous êtes donc si lasse de ce congrès, vous si souriante d'habitude ?

— Peut-être, dit-elle un peu distraite.

— Qui vous a appris la valse ? Vous deviez vraiment aimer cet homme pour que vos pas soient si légers.

— Vous êtes un séducteur, Charles, mais je vais vous

le dire quand même. J'adorais cet homme.

— Cela se voit.

— C'était mon père.

L'homme se tut. La valse s'arrêta.

Philippe vint chercher Anne à son tour. Il l'enlaça. Elle avait mal. Elle aurait voulu lui dire, mais n'en fit rien. Alors, elle ferma les yeux et ne sentit plus sur sa taille que les mains d'un homme.

Il lui semble devenir sauvage soudain. Elle enfonce sa peine en elle et demeure silencieuse. Elle en vient même à oublier qu'elle a marché pour des idées patriotiques la veille.

« Souris, Anne, souris. » Ses mots. Elle veut sourire, rire même. Elle en est incapable.

Elle était arrivée en retard à la réception. Philippe ne l'avait pas attendue. Il présidait ce dîner et c'était important pour lui. Il avait été contrarié par son attitude et le lui avait laissé voir. Maintenant il la questionnait.

— Qu'est-ce que tu as ? J'ai retardé tant que j'ai pu l'heure de mon discours. Tu veux bien me dire ce qui se passe ?

— Rien. Je suis fatiguée. C'est peut-être à cause de la chaleur. C'est tout. Ça passera.

Philippe jeta un regard vers ses pieds, puis sourit. Anne portait des sandales à talons plats en cuir verni noir, avec une robe cocktail. Elle avait trop marché et ses pieds étaient écorchés. Elle esquissa un sourire, ce qui la ramena à la réalité.

Quelques instants après, un couple s'avançait vers eux. La jeune femme qui accompagnait le sénateur portait une robe très courte et voyante, des talons aiguilles et d'énormes boucles d'oreilles. Elle n'ouvrit la bouche que pour dire bonsoir. Le sénateur ne lui laissait guère la chance de parler. Lui, parlait sans arrêt et voyait tout.

— Vous étiez en retard ma chère, ce soir. Mais vous êtes d'une élégance ! Je suppose que vous avez couru les grands magasins toute la journée ? Puis, il ajouta après une courte pause : Vous avez raté le discours de votre mari. C'était très bien, Philippe.

Philippe le remercia poliment, sans plus.

L'arrogance de cet homme avait toujours déplu à Anne. Et maintenant il la provoquait. Il avait un titre et se croyait tout permis. Un cercle s'était refermé sur eux. Ils étaient maintenant six ou sept à écouter le sénateur parler de l'échec du lac Meech et de la fête de la Saint-Jean-Baptiste.

Anne ne put se contenir et dit :

— Avec Meech, on vient de nous voler un moment historique.

— Tiens, tiens ! Vous rêvez trop ma chère, reprit le sénateur.

— Et je continuerai à rêver. Vous saviez qu'il est possible de se rendormir et de poursuivre le même rêve ?

— C'est ça, dormons. Comme cela nous aurons la paix.

— Non, sénateur ! Un beau jour, on se réveillera et notre rêve sera réalité. Nous serons un pays.

— Vous êtes très nationaliste. Séparatiste, devrais-je

dire ! Cet après-midi vous couriez les grandes boutiques de Montréal et maintenant, vous essayez de faire de la politique. Laissez donc cela à ceux qui s'y connaissent. Et de vous afficher ainsi pourrait nuire à votre mari.

— Je ne m'affiche pas plus que vous, sénateur. Et je suis libre, je pense.

Philippe qui revenait avec des rafraîchissements avait entendu les dernières paroles du sénateur et celles de sa femme. Son regard avait croisé celui d'Anne. Quelque chose en elle avait changé.

— Maître, vous ne nous aviez jamais dit que votre femme faisait de la politique. Il se tut un instant et ajouta : Elle ne semble pas du même bord que nous !

— Il est vrai, dit Philippe, qu'il est difficile de demeurer indifférent à ce qui s'est passé à Meech. Et les images que nous avons vues hier de la Saint-Jean…

Il n'eut pas le temps de continuer, déjà le sénateur l'avait coupé.

— C'est plein d'émotion tout cela. Que de l'émotion ! Comme vous ma chère Anne.

— C'est une injustice faite au peuple québécois, ce qui s'est passé, reprit Anne. Il est trop tard maintenant. Mais nous sommes une société distincte et vous le savez aussi bien que moi. Et plus que jamais nous sommes déchirés, divisés entre nous.

— Le nationalisme des Québécois s'assoupira. Vous verrez, ma chère. Et si vous pensez que les autres pays, la France surtout, se soucient de nous, vous vous trompez. Ils s'en moquent.

— Je ne suis pas de votre avis.

— Voyons, ce sont nos voisins les Américains qui profiteraient de cette séparation. Pas les Français. Pour eux, notre combat est dépassé.

— Tout de même, nous participons au Conseil de Sécurité des Nations-Unies. Et De Gaulle n'avait-il pas dit que le Québec était une grande oeuvre française, essentielle, de notre siècle ?

— De Gaulle, reprit le sénateur très fort, pour que tout le monde l'entende. Et il se mit à rire à gorge déployée.

— Viens danser, Anne, dit Philippe. Il la prit fermement par le poignet.

Anne retira sa main d'un coup de l'emprise de son mari.

— Et le président Mitterand, vous croyez qu'il se préoccupe de nous ? continua le sénateur.

— Il n'était pas indifférent lorsqu'il est venu à Gaspé en 1987. Il avait dit, si je me souviens bien : « Je prononce le mot Québec avec amour, avec espoir. » Il nous avait laissé l'espoir.

— Mais, ce ne sont là que de beaux mots français, ma chère.

— Le président n'aurait pas dit le mot espoir. Nous ne devons plus nous mettre à genoux.

— Dommage que vous soyez si entêtée et vos idées politiques si étroites…

Il voulut ajouter autre chose, Anne avait déjà tourné le dos et quittait la réception. Philippe la rejoignit jusqu'aux ascenseurs.

— Tu es folle ou quoi ? Qu'est-ce qui t'arrive ?

— Je monte dans la chambre. J'en ai assez ! Tous ces gens me fatiguent, m'énervent. Je suis fatiguée Philippe, dit-elle sur un ton qu'il ne lui connaissait pas.

Comment aurait-il pu comprendre ? Pourtant, elle n'avait aucun regret. Ni du jour, ni de la nuit qui s'écoulaient.

Rien n'avait changé sur terre depuis l'éternité du monde. L'homme gouvernait et lui seul avait la parole. Et parfois, sous son triomphe, il jouait de l'insolence, écrasait et même abusait de son pouvoir. Ce soir, Anne le comprenait plus que jamais.

Elle avait entendu tous les sons du silence, avec le bruit de la mort, de la vie. De l'amour sans fin. Le monde entier était fait de silence. À travers les guerres des peuples, des foules voilées, des yeux hagards, apeurés ou tristes parfois.
Et ce soir, c'était le silence de son peuple qu'elle entendait.

35

Le soleil avait été brûlant tout l'été. Anne s'était occupée surtout de son jardin. Les mains en pleine terre, elle faisait se croiser l'esprit et la matière et se disait que c'était bon pour elle. Mais sa pensée allait sans cesse vers Christian. Elle se demandait pourquoi ce qui était périssable voulait tant durer. Puis, elle avait reçu des nouvelles de sa soeur de Côte d'Ivoire. « Tout est étonnant dans ce pays, écrivait Camille. Même les arbres. » Et surtout l'Arbre du voyageur qui semblait la fasciner. Elle expliquait à Anne comment il symbolisait l'étape à Abidjan, comment il dominait tous les jardins où il se trouvait. Elle décrivait ses larges palmes en train de faire la grande roue. « C'est un immense soleil africain, ajoutait-elle, et c'est en même temps un puits. Tout est si contrastant ici. J'aimerais que tu sois là, Anne. »

Camille l'invitait à la rejoindre, au moins une semaine, avant la rentrée scolaire. Elle lui décrivait si bien l'ambiance du marché qu'Anne arrivait presque à voir les bouteilles de rhum vides, dans lesquelles se trouvaient maintenant des arachides. Elle imaginait ces escargots géants qui sortaient des grands cabas déposés à terre et Camille qui se faufilait sur la pointe des pieds. Anne apercevait l'Afrique et les couleurs de l'Afrique à travers sa soeur. Camille l'emmenait dans des villages au rythme lent des pirogues et terminait sa lettre par une visite de sa villa. Elle quittait Anne en disant : « Je joue au tennis tous les jours et surtout, je suis heureuse. »

Camille était partie depuis trois mois. C'était la deuxième lettre qu'Anne recevait d'elle. Là-bas, sa soeur occupait un poste de chercheuse en biologie, pour au moins deux ans. À trente-trois ans, elle avait voulu s'éloigner pour oublier son récent divorce. Elle n'avait été mariée que quatre ans à un ingénieur.

« Camille, avait pensé Anne, tu es si loin. Et tu me manques. Comme tu me manques, en ce moment. »

Le jour même, Anne lui avait écrit, mais sans lui parler de Christian. Elle avait voulu garder le secret.

Puis, était venu le gala. C'est ainsi qu'elle s'était retrouvée au *Petit lac aux canards*. C'est là qu'elle avait laissé tomber les minuscules cartes. Il faisait presque jour. Elle avait choisi.

« Je reste. »

36

« J'ai des souvenirs. Tant de souvenirs. J'oublierai.
Encore une fois, je tenterai d'oublier. Jusqu'à l'éternité
maintenant. »

Anne ferme les yeux et passe la main sur sa joue. Elle
se souvient. Sa main, à elle, sur la sienne. Il tient son
visage. Elle sait que c'est pour longtemps. Pour toujours
peut-être. Elle veut le retenir.

« Quelques instants encore, dit-elle. Asseyons-nous
ici, sur les cayes, face à la mer. Juste pour écouter ensemble le clapotis de l'eau. Une toute-petite-dernière-fois. »

C'est la fin de l'été. La fin d'un après-midi d'été lu-
mineux. Il la regarde. Il sourit. Elle est heureuse. Trop.

Cette forme de bonheur n'est pas réelle.

Puis vient l'hiver et la neige, et la tempête et la passion. Il n'y a plus qu'un homme et une femme traqués par la vie qui brûle leurs chairs comme des bêtes encerclées dans l'arène. Sans espoir, brisés en un seul jour. À jamais. Ils gèlent jusqu'aux os.

La mort rôde. Puis elle vient.

Et un de ces matins, un de ces beaux grands matins de printemps, la rivière craque et fend la croûte glacée pour revivre et couler jusqu'à sa source, jusqu'à la vie. La vie longue de quelque vingt ans encore. Jusqu'au bout du destin. Jusqu'au bout de leurs regards. À nouveau face à face, elle et lui.

Et sa main encore sur son visage. Et la déchirure. Le mal d'aimer. L'affreuse douleur malade d'aimer. Toujours.
« Ma tendresse », murmure-t-il.

Anne pleure doucement face à la fenêtre de sa classe vide. C'est juste comme une pluie de fin d'été. Une pluie longue et fine qui s'éternise.

Elle pleure. En douceur. Dans le silence.

Ouvrage composé par
les Éditions des Glanures.
Achevé d'imprimer en avril 1999
par Imprimeries Transcontinental,
division Gagné, Louiseville.

IMPRESSION
IMPRIMERIE GAGNÉ

Imprimé au Canada